博覧会の世紀

1851–1970

A CENTURY OF
WORLD
EXPOSITIONS
1851–1970

EXPO

はじめに

世界で最初の博覧会は、産業革命を経験したイギリスにおいて開かれた1851年のロンドン万国博覧会と言われています。黎明期の博覧会の多くは、国威発揚や殖産興業を目的としたものでした。明治以降、近代国家の仲間入りをした日本も、積極的に博覧会事業に取り組み、全国各地で博覧会が開かれていきました。

———

博覧会は資本主義の見本市であると同時に、その祝祭的、教育的、娯楽的性格や未来志向といった多様な要素が多くの人々の心を捉えていきました。また様々な国々が参加する博覧会は、異文化や最新の技術に触れる機会でもありました。さらに博覧会から派生したものに博物館、水族館、百貨店、遊園地、オリンピックなどがありました。

———

今日にいたるまで世界各国で数えきれないほどの博覧会が開かれてきましたが、時代とともに目的も展示の内容や手法も変わっていきました。博覧会は時代を映す鏡であり、近代社会の歴史は博覧会とともにあったともいえるでしょう。

———

展覧会「博覧会の世紀 1851–1970」では、乃村工藝社が所蔵する博覧会資料を中心に博覧会に関わる絵画や歴史資料を通して19世紀から20世紀の博覧会の歴史を振り返ります。時代とともに変わってきた人々の価値観や他者へのまなざし、生活スタイルなどを博覧会から読み取ることができます。

———

人類の歴史の中で、様々な苦難とも向き合いながら、博覧会は人々に勇気と希望を与えてきました。コロナ後の社会において、博覧会は私たちにどのような光を照らしてくれるのでしょう。2025年の大阪・関西万博の開催を控えたいま、改めて博覧会の過去と未来を考えるきっかけになれば幸いです。

2021年2月
主催者

Introduction

The world's first international exposition is said to be the Great Exhibition of London of 1851, which took place in the birthplace of the Industrial Revolution, England. Many of the early expositions were in fact aimed at boosting national prestige and promoting industry. Since the Meiji period (1868-1912), Japan, having joined the ranks of modern nations, started to work actively on similar initiatives, and various expositions were held throughout the country.

———

Expositions tended to be capitalistic trade fairs, but at the same time, their festive, educational and entertaining character, together with various future-oriented aspects, captured the hearts of many people. Moreover, international expositions were also an opportunity to come in contact with different cultures and the latest technologies. In addition, museums, aquariums, department stores, amusement parks, the modern Olympic Games, all derived from World Expos.

———

To this day, countless expositions have been held around the world, but their purpose, as well as exhibit contents and methods, have changed with the times. Expositions are a mirror of the times, and we can say that the history of modern society is linked to these events.

———

In this exhibition, we look back at the history of expositions from the 19th to the 20th century through related pictures and historical documents, mainly from the collection of NOMURA Co., Ltd. By examining successive expositions, it is possible to gauge people's changing values, attitudes to others, and lifestyles.

———

In the history of mankind, expositions have given people courage and hope, even when they were facing all sorts of hardships. What light will expositions shine on us in a post-coronavirus society? With the 2025 Osaka Kansai Expo coming up, we hope this exhibition will give you an opportunity to newly reflect upon the past and future of expositions.

February 2021
The organizers

謝辞

———

本展覧会の開催と本書の制作にあたり、
多大なご協力をいただきました下記の方々、
またここにはお名前を記すことができませんでしたが
ご協力いただいた方々に、
深く感謝の意を表します。
［五十音順 敬称略］

———

岩淵知恵
江崎淑夫
小川滋子
梶田里佳
神牧智子
小井川理
小寺瑛広
小柳正美
佐野真由子
下出茉莉
嶋村元宏
谷 直樹
田邊哲人
辻本憲志
中山文夫
西岡陽子
深田智恵子
二枝永一郎
増山一成
森 知己
桃谷和則
山本哲也
椀田忠将

———

尼崎市立歴史博物館
大阪市立住まいのミュージアム
大阪府日本万国博覧会記念公園事務所
神奈川県立歴史博物館
川島織物文化館
公益財団法人関西・大阪21世紀協会
京都工芸繊維大学美術工芸資料館
久米美術館
香蘭社
新潟県立歴史博物館
公益社団法人2025年日本国際博覧会協会
松戸市戸定歴史館
早稲田大学演劇博物館

● 本書は大阪くらしの今昔館、新潟県立歴史博物館、長崎歴史文化博物館で開催される展覧会「博覧会の世紀 1851-1970」の関連書籍である。

● 展覧会の全体企画は橋爪紳也監修の下、竹内有理（乃村工藝社／前長崎歴史文化博物館学芸員）が担当した。

● 本書には展覧会で出品される資料の一部を掲載している。開催会場により出品資料が異なるため、掲載されているものでも会場によっては出品されないものもある。また、出品されないが、参考図版として掲載したものも含まれる。

● 巻末にいずれかの会場で出品予定の資料のうち乃村工藝社所蔵の資料のリストを掲載した。

● 図版には資料名｜作者・製作者｜制作年｜所蔵者を付した。所蔵者名が記載されていないものはすべて乃村工藝社の所蔵である。

● 乃村工藝社所蔵資料の情報及び画像提供は石川敦子（乃村工藝社）が担当した。

● 解説は橋爪紳也監修の下、竹内有理が執筆した。

● 英文翻訳はValentina Odino（長崎歴史文化博物館）が担当した。

● 本書に掲載されている図版の一部に現代においては差別的と見られる表現があるが、当時の時代背景と資料的意義を考慮し、そのまま掲載した。

博覧会の世紀

橋爪紳也

1 | ロンドンから始まった

1851年にロンドンのハイドパークで、「すべての国家の産業の成果に関わる大展覧会」と題した世界初の国際博覧会が開催される。いわゆる第1回ロンドン万博である。従来、英国やフランスなど各国独自に行われていた産業振興を目的とする展示会を拡大、諸外国からの出品をも集めて展覧に提供することが企図された。中心的な役割を担ったのが、ヴィクトリア女王の夫であり王立技芸協会会長のアルバート公である。

会場内に建設されたガラスと鉄の巨大建築「クリスタルパレス（水晶宮）」がシンボルとなった。各国が参加、会期中に約604万人の入場者を集めた。出品者は1万3,937人を数えた。出品品は、鉱物・化学薬品、機械・土木、ガラス・陶器、美術部門のように分野ごとに分類された。博覧会は約52万ポンドの収入を得て成功、収益をもとにヴィクトリア・アンド・アルバート・ミュージアムや科学博物館、ロイヤル・アルバート・ホールなどの文化施設群が整備された。万博は、産業革命の先進地である大英帝国の工業力を世界に知らしめる機会となった。

以後、19世紀末までに、ニューヨーク、パリ、ウィーン、メルボルンなど世界各地で国際博覧会が開催されてゆく。展示手法にあって、その後の万国博覧会に強く影響を与えたのが、1867年に開催された第2回パリ万国博覧会である。楕円形の展示館を数棟、同心状に配置し、国別に陳列場を区分した。同時に美術・住宅関連・装身具や衣類・鉱工業製品・農産品などの10部門と細分類を設定、各国の展示を部門別に並べた。国別、かつ部門別に系統だって展示するという発想は、巨大な展示館にすべてをならべたそれまで

の博覧会にはなかった発想である。

また第2回パリ万国博覧会は、産業振興を目的とする博覧会に、文化性を寄与した点にあっても画期的であった。中心部の回廊には、「労働の歴史」という主題のもとに、5,000点を超える展示品で石器時代から18世紀に至る人類の進歩を示すディスプレイがなされた。メイン展示会場の周囲にある庭園に、各国独自のパビリオンや売店、各国料理を賞味できるレストランなどが設けられ、夜11時まで楽しく過ごすことができた。

以後、今日にいたるまで、世界各地で、さまざまな主体、さまざまなかたちの博覧会が開催されている。

2 | 博覧会の日本

幕府の鎖国政策によって海外との門戸を閉ざしていた日本にも、開国の予兆とともに、当時、欧米で開催されていた万国博覧会の情報が届く。1851年（嘉永4年）、オランダ領東インド政庁が幕府に送付した『別段風説書』にあって、1851年のロンドン万博の開催が紹介された。この記事が、博覧会に関する日本における一報であったという。

国際博覧会に日本はいかに関与したのだろうか。その初期にあっては、産業の見本市であった万国博覧会の会場にあって、優美な工芸品が「日本」のイメージを世界に伝える役割をになった。

日本の工芸品を、国際博覧会の会場に最初に持ち込んだのは英国人であった。1859年（安政6年）に来日したイギリス公使ラザフォード・オールコックは、日本の工芸品や細工の技術に強く惹かれた。彼は1862年に開催された第2回ロンドン万博に、漆器や錦絵、象牙の彫り物、七宝細工、象嵌がなされた刀装品など自身の収集品を展示した。オールコックの収集品は工芸品として現地では高い評価を得たようだ。この博覧会を見聞した日本人がいた。幕府から欧州に派遣された使節団である。5月1日に挙行された開会式にも列席している。この時の使節団には福沢諭吉や福地源一郎も加わっていた。

続く1867年第2回パリ博では、幕府はフランス皇帝ナポレオン三世の招聘を受ける。幕府は和紙、衣服、絹織物、象牙細工、青銅器、磁器、硝子器、漆器、水晶細工、日本刀、人形、錦絵などをパリに送り、展示場に陳列した。なかでも光を透過するほど薄い磁器は評判を呼んだ。展示場の一画に檜造の茶店があり、柳橋の芸妓三名が接客にあたった。開会式に派遣された使節団には、渋沢栄一や田辺太一が加わっている。

この博覧会では、英国人商人グラバーの協力のもと薩摩藩も出展を果たした。薩摩琉球諸島国の名義で独立国として展示区画を借り受け、丸に十文字を描く島津の家紋を掲げた。幕府は抗議を行ったが受け入れられず、結局、日本大君政府と薩摩太守政府として同格に扱われる結果となった。また佐賀鍋島藩も佐野常民らを派遣して有田焼などを扱う独自の売店を経営、揚羽蝶の家紋を掲げた。

日本政府が正式に万国博覧会に参加したのは、皇帝ヨーゼフ一世の治世25周年を記念して挙行された1873年のウィーン博が最初である。産業館には、陶磁器、金工、石灯籠、蒔絵や漆の工芸品、浮世絵などが出展された。名古屋城天守閣から降ろされていた金鯱、大提灯、東京谷中の五重塔や鎌倉大仏の模型などが人目を引いた。売店では団扇は人気があり、一週間のあいだに数千本を売りきったという。東洋のエキゾチシズムを意図的にアピールすることで、欧州にあってジャポニスムが流行する契機となった。

アメリカ合衆国独立百周年を祝う1876年のフィラデルフィア博覧会では、縄文土器・須恵器に始まり、中世の茶壺や茶入れ、近世の楽茶碗や伊万里焼、さらには同時代の陶磁器をならべ、日本の陶磁史を示す展示が試みられた。そのほか金工・漆工・陶磁・七宝・染織など、さまざまな分野の展示がなされた。装飾性の高い鋳銅作品、色絵金彩を施した高さ8尺にもなる有田焼の花瓶、花鳥を染め付けた瀬戸の飾り壺など、大型の作品を交えた構成は好評を博した。

国際博覧会への出品は、日本の企業にあっても重要な意味を有していたようだ。たとえば

川島甚兵衛は万国博覧会の会場に華麗な綴織の大作を展示して、その技術力を訴求しようとした。1904年のセントルイス万博では、伊藤若冲の動植綵絵を模写、綴織で仕上げて壁面に張り込んだ「若冲の間」を出品している。さらに翌年、ベルギーで開催されたリエージュ博に「宮殿内装飾百花百鳥の間」を出展する。菊池芳文の原画をもとに四季の花鳥を描く綴織の壁掛けを四面に飾り、さまざまな鳥が群舞するさまを刺繍で表現した織物を天井絵とした。

万国博覧会の会場にあって、「日本」を表徴したのは工芸装飾の類だけではない。独特の建築と庭園も、西洋の人たちに強い影響を及ぼした。政府が初めて関与した1873年のウィーン博では、1,300坪ほどの敷地に日本庭園と売店が設けられ、神社・神楽殿・鳥居などが景物として建設された。工事をする大工が、西洋とは異なる方向に鉋で木材を削るさまが珍しかったらしく、長く伸びた鉋屑を持ち帰る者があいついだ。

万博における日本の展示館では、和風庭園のなかに歴史的な名建築を模範とした建物を建設する例が多い。たとえば1893年のシカゴ万博では、久留正道の設計によって、東に池にのぞんで三棟を廊下でつなぐ「鳳凰殿」が建築された。平等院鳳凰堂をモデルとしたものだが、中央の建物は徳川時代の書院造、北翼は平安時代の御殿風、南棟内部は銀閣を手本とする室町時代の様式とした。装飾は平安時代を巨勢小石、室町時代を川端玉章、江戸時代を橋本雅邦、彫刻を高村光雲が担当した。パビリオンそのものが日本建築史の展示になっていたわけだ。

1904年のセントルイス万博では、本格的な日本庭園のなかに、久留正道の設計による寝殿造風の本館、金閣を模倣した日本喫茶店などが建設された。また1915年に開催されたパナマ万博では、武田五一が各時代の歴史的な様式の特徴を折衷した日本庭園と、金閣に範をとった日本館を設計している。武田は金閣を、法隆寺、平等院とともに「三大模範建築」と位置づけていた。もっともその細部には、鎌倉末から豊臣初期までの様式が折衷されていた。建物単体ではなく、

庭園も含めた総合的な芸術として、「日本建築」を捉えつつ、新たな創作を試みた点が注目される。

3｜日本と博覧会

文明開化のさなか、欧米で開催されている「博覧会」なるものを実施する動きが国内にあっても起こる。日本で初めて「博覧会」と称した催事が、明治4年10月、西本願寺書院を会場として開催された京都博覧会である。三井八郎右衛門、小野善助、熊谷直孝が中心となり、武具や古銭、古書画、古陶器などのほか、清国の物産や神戸在住のフランス人が持ちこんだ欧州の産品も並べられた。

博覧会と称しつつも物産会と呼ぶべき規模である。しかし勧業のために必要な催しであるという確信を得たのだろう、主催者たちは同志を募り、京都府の援助を受けつつ、京都博覧会社（のちの京都博覧会協会）を創設する。翌明治5年3月10日から80日の期間を定め、西本願寺・知恩院・建仁寺の三会場で「第一回京都博覧会」を開催する。

この時、京都府は明治政府に働きかけ、居留地の外国人が会期中に会場を訪問する許可を得た。結果、英国人、フランス人、ドイツ人など6名の出品と、770名の外国人観覧者を受け入れている。勧業を主目的とした博覧会であったが、そこに楽しみの要素も加味された。「附博覧」と称して始められた都踊り、会場内での茶席、安井神社の能楽や下鴨での花火大会などが各所で用意された。その後、両国博覧会、総見寺を会場とする名古屋博覧会のほか、岡崎、和歌山、広島、金沢などで、いずれも寺院や公園を会場として博覧会と称する催しが開かれた。また先駆けとなった京都にあっては、博覧会は恒例の催事となり、昭和2年まで毎年、京都博覧会社が主催者となって継続して開催された。

商品をならべて競い合わせる博覧会が定着した背景に、本草会や物産会など諸国の物産を並べて見せる催しが、近世の江戸や京阪で定着していたことが指摘される。西洋風の展示会である「博覧会」も、人々は慣れ親しんだ本草会や物産会の延長にあるものと理解したのである。

4｜日本万国博覧会への道程

いっぽう欧米の万国博覧会に学んだ明治政府は独自の博覧会を計画する。明治5年、文部省はウィーン万博への出品物を集める目的から、湯島聖堂で「博覧会」を開催する。名古屋城の天守から降ろされた金鯱が呼び物となった。

内務郷大久保利通は殖産興業策のひとつとして政府主催の博覧会の必要性を強調する。彼の構想が明治10年、上野公園で開催された「内国勧業博覧会」に結実する。3万坪の会場に採鉱・冶金・製造物・美術・機械・農業の六大区に分類された展示館が立ちならぶ。出品点数は8万4,000あまり、期間中に入場した人は45万人を数えた。大時計、アメリカ式風車、菊花紋をかたどった花瓦斯などが人々の目を驚かせた。

明治22年、農商務大臣西郷従道は、準備中であった第三回内国勧業博覧会の規模を拡大し、「亜細亜大博覧会」とでも称する国際博覧会を行ってはどうかと提案する。この建議は実現しないが、内国勧業博覧会が回を重ね運営の実績を重ねるに連れて、アジアで初めての万国博覧会を日本で開催しようという気運が生まれてくる。

明治36年、5回目の内国勧業博覧会が大阪で開催する。153日で750万人を集める明治期最大のイベントとなった。巨大な冷蔵庫や日本初となるウオーターシュート、不思議館でのアメリカ人ダンサーの舞台など、人気を集めた展示が多数あった。ひときわ話題となったのが本邦初の本格的なイルミネーションである。各展示館には輪郭をふちどるように電球が装置され、日が落ちてから一斉に点灯、誰も見たことがない美しい夜景が出現した。またこの時は海外の製品を出展することが許可されたことを受けて、貿易商社などが英・独・米・仏ほか総計18カ国の商品を陳列、英国の自治領であったカナダ政府は独立した展示館を設けた。「内国」と称してはいたが、実質的にわが国初の国際的な博覧会となった。

政府は内国勧業博覧会を発展させるかたちで、「日本大博覧会」と称する国際博覧会を構想する。明治40年3月に事務局を発足、青山

から代々木一帯を会場に明治45年4月1日から開催するべく準備を進めたが、日露戦役後の不景気による財政困難を理由に順延、やがて中止が決定される。

　再度、商工省のもとで、国際博覧会の開催が具体化するのは昭和になってからのことだ。国家的なイベントの開催によって同時期の不況を打開するとともに、海外に対して東西文明の融合を主張しようと理念が示される。外客誘致も重要な目的となった。当初は昭和10年開催が企図されたが、昭和15年に延期、東京月島の埋立地と横浜を会場に「紀元二千六百年記念日本万国大博覧会」という名称にすることを定め、周到な準備が進められた。しかし大陸での戦火が拡がり、昭和13年7月になって中止が決定する。アジアで最初の万国博覧会を日本で開催する構想は、1970年の大阪万博まで持ちこされることになる。

5｜博覧会──文明の装置、文化啓蒙の場

　博覧会は、いわば「文明の装置」である。その歩みは、産業社会が発展する諸段階と同調する。19世紀、産業革命の先進地である英国やフランスで国際博覧会が創案された。最新の技術や世界中の物産を一堂に集めて公開するという展示会の方法論は、工業化社会の拡張とともに各国に拡がる。20世紀になると電気製品が博覧会の主役となり、大量生産や大量消費を前提とした文明のあり方が提示される。また1970年大阪万博など20世紀後半の博覧会では、巨大映像やマルチスクリーンへの投影が主流となり、高度情報化社会のモデルが可視化された。

　いっぽうで博覧会は、新しい生活文化のあり方を人々に伝播する場となった。わが国では明治時代においては、博覧会とはすなわち勧業策という理解が主流であった。しかし大正から昭和へと転じるなかで、新聞社が中心となり百貨店や電鉄会社が協力して実施するメディアイベントのなかに博覧会を名乗る事例が増える。大礼記念の行事が全国で実施された昭和3年、皇紀2600年を奉祝する昭和15年には全国各地で地方博

覧会が実施された。

　そこにあっては「電気博覧会」「交通博覧会」「航空博覧会」「住宅博覧会」「警察博覧会」など主題を限った催事が目につく。さらに「子供」「婦人」などがテーマとなる場合もあった。いっぽうで「衛生博覧会」「納涼博覧会」「逓信博覧会」など盛り場や遊園地での集客イベント、百貨店での催事にも「博覧会」を称する事例が増える。さらに戦時下にあっては、博覧会は軍事啓蒙イベントの色彩を強め、また戦後には「復興」「平和」「観光」などを掲げる地方博があいついで企画された。

　戦後復興から高度経済成長を経て、国際博覧会の日本誘致に向けた機運が盛り上がる。結果、千里丘陵を会場に1970年大阪万博の開催が決定、当時としては博覧会史上、最大の参加国と入場者数を誇る巨大イベントを実現させる。1970年大阪万博では、アジア初となる博覧会であることを意識、「人類の進歩と調和」という主題が掲げられた。会場では、科学技術の発展による未来の生活の可能性が示されるとともに、諸民族や諸文化の融和による世界の理想が強調された。

　21世紀になると国際博覧会の役割はさらに変貌した。環境問題や資源問題、都市問題など、人類文明が共通して直面している課題解決を議論する場と位置づけられた。2025年に開催が決定している大阪・関西万博では、サイバーとフィジカルの融合を想定した近未来の社会モデルを示すとともに、持続可能な社会を実現する国際社会の共創に貢献することがうたわれている。

　時代とともにそのあり方を変えつつも、世紀を跨ぎつつ、内外にあって博覧会と称する展示会の方法論は継承されている。国家を単位とした社会がある限り、また近未来の生活モデルを示す場が求められる限り、従来のようなかたちであるかどうかはさておき、博覧会という「文明の装置」は継承されることだろう。

［はしづめしんや］

乃村工藝社 博覧会資料COLLECTION

博覧会資料COLLECTIONとは

2001年秋、大阪府堺市在住の博覧会研究家・寺下勛氏から所有する博覧会に関係する資料が乃村工藝社に寄贈された。この資料群は寺下氏が博覧会の会場でパビリオンの展示や運営に従事していくうちに「閉会すると跡かたもなく消えてしまう博覧会という催しの日本の年表を作る」目的で40年間にわたり収集されたものであった。資料は明治期の錦絵、一枚刷りの図版、ポスター、会誌（公式記録）、写真帖（写真集）、パンフレット、絵葉書、入場券、記念品などで構成され、約一万点におよんでいた。それらの中には"唯一無二"の1875年（明治8年）に開催された第四回京都博覧会の出品目録「大博覧会物品録」なども含まれていた。（東京文化財研究所『明治期府県博覧会出品目録 明治四年～明治九年』に掲載）

博覧会資料COLLECTIONに登録されている博覧会約1,300件のうち、乃村工藝社が関わった博覧会は1914年（大正3年）から200件にのぼる。博覧会の会場づくりに携わってきた企業が、先人たちの創意と工夫の証跡となる博覧会資料を持つ意味は大きい。

博覧会は"時代を映す鏡"とも言われる。政治、経済、外交、産業、文化等々あらゆる側面で各時代の人間の営みを反映している。例えばグラフィックデザインの視点から見ると、江戸時代の流れをくむ明治期の華やかな錦絵、吉田初三郎が遠く大陸まで描く会場図、戦争に向かっていく時代のプロパガンダを感じるポスター、小磯良平が描いた戦後のモダンなポスター、「もはや戦後ではない」と言われた時代の漫画家・横山泰三によるポスター、世界を意識した亀倉雄策による大阪万博のポスター、博覧会のテーマ"自然の叡智"を表現した大貫卓也による愛知万博のポスターなど、各時代のデザインの特色が色濃くあらわれているのである。

世の中に役立てる

「私蔵することなく、世の中に役立てること」が寄贈時に寺下氏が示した唯一の条件であった。愛知万博が開催された2005年の1月、乃村

1

3

2

工藝社のホームページでデータベース「博覧会資料COLLECTION」を公開した。このデータベースは主に博覧会を検索する[博覧会検索]、所蔵資料を検索する[博覧会資料検索]、活用例を掲載する[お知らせ]で構成している。現在、Googleで「博覧会資料」というキーワードで検索するとトップに表示される。また、2002年6月から橋爪紳也氏（当時：大阪市立大学大学院助教授）が主宰した博覧会文化史研究会の成果として2005年2月20日に別冊太陽『日本の博覧会 寺下勍コレクション』（平凡社）が発刊された。

このふたつの発信により、乃村工藝社の博覧会資料は多くの人々の目にふれることとなった。赤瀬川原平氏、荒俣宏氏、堺屋太一氏などの著名人をはじめ、ドイツ・台湾・韓国・アメリカ・インドネシアなど海外および国内の研究者、2025年日本国際博覧会協会の実務者などが資料の閲覧に来社している。また、博物館などの企画展への貸出、放送局や出版物への画像提供依頼にも対応し、帝国書院の教科書『社会科 中学生の歴史』や人気TV番組「ブラタモリ 小樽編」などにも資料が使用された。

一方、自らは京都大学の佐野真由子教授が主宰する「万博学」研究会に参加し、2016年からは複数の社員が同研究会に加わるなど、社員自らが所蔵する博覧会資料を活用した研究に取り組んでいる。

次世代へ

博覧会資料COLLECTIONは主旨に賛同いただいた個人や団体からの寄贈、新たな購入によって現在では約二万点となっている。時代別内訳は、江戸＝11点（全て海外）、明治＝620点（うち海外75点）、大正＝1,380点（うち海外45点）、昭和＝9,200点（うち海外520点）、平成＝8,453点（うち海外980点）である。また、2005年に開催された愛知万博の資料は2,088点で、博覧会別の資料数では

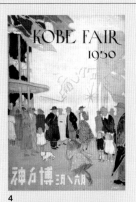

4

5

No.1となっている。これらの多くは愛知万博担当社員の協力を得て収集した資料で、意識しなければ残すことができない資料も多く含まれている。そして2025EXPOの資料収集も既に始まっているのである。

日本の"近代から現代を映す鏡"である博覧会の原資料は、デジタルでは伝えきれない魅力を持っている。人々の営みのリアルな痕跡として、バーチャルな未来を生きる次世代にその魅力とともにバトンタッチしたい。

［いしかわあつこ］

註　博覧会資料COLLECTIONのURL：
https://www.nomurakougei.co.jp/expo/

序章
見世物から物産会、
そして博覧会へ

江戸時代の大衆娯楽の一つに寺社の境内や盛り場で行われる見世物があった。江戸では両国・上野・浅草、大阪では難波新地、京都では四条河原などで見世物興行が行われていた。

———

江戸時代後期の文化文政期に大流行したのが細工見世物や造り物と呼ばれる、貝や菊、籠、瀬戸物などでさまざまな動物や人物をかたどった細工物だった。生人形や「生写し」などと呼ばれた本物と見まがうようなリアルな人形も江戸時代の庶民の間で大人気となり、見世物の重要なアイテムの一つとなった。その他に軽業と呼ばれる曲芸や長崎を通じてもたらされたゾウやラクダ、ヒクイドリなどの珍しい動物も見世物として人々を喜ばせた。

———

一方、武士や町人の間では、本草学（博物学）への関心が高まり、集めた物を見せあう薬品会や本草会、物産会と呼ばれる催しが行われていた。寺院では寺宝を公開する御開帳もたびたび行われるなど、博覧会にも通じる文化がすでに江戸時代の日本の風土の中で育まれていた。

One of the popular entertainments of the Edo period (1603-1868) were the *misemono*, shows or exhibits held on temple and shrine grounds and in the streets of amusement districts. *Misemono* could be found in the areas of Ryōgoku, Ueno and Asakusa in Edo (present Tokyo), Namba Shinchi in Osaka, and Shijō Kawara in Kyoto.

———

During the early 19th century, displays of finely crafted objects, such as animals and human figures made out of shells, chrysanthemums, wicker, ceramics, and other materials, were hugely popular. Extremely realistic, life-sized dolls called *iki-ningyō* ("living dolls") were also very popular among commoners, and became one of the main attractions of *misemono*. In addition, acrobatic feats and exotic animals imported through Nagasaki such as elephants, camels, and cassowaries delighted spectators.

———

On the other hand, interest in natural history increased among samurai and merchants, who showcased their collections of medicinal herbs and natural specimens through exhibitions called *bussan-e*. Temples also frequently held fairs, in which religious treasures were temporarily unveiled to the public. The culture leading up to modern expositions was thus being already nurtured in the climate of Edo period Japan.

0-01 鳥獣図会
歌川芳盛(三木光斎)｜1860年(万延元年)
長崎歴史文化博物館

0-01

0-02　　無題（虎の図）
　　　　歌川芳富｜1860年（万延元年）｜長崎歴史文化博物館

0-03　　新渡舶来大象之図
　　　　落合芳幾｜1863年（文久3年）｜長崎歴史文化博物館
　　　　興行師、鳥屋熊吉によるゾウの見世物が人気を呼んだ。

0-04　　駱駝図｜--｜江戸時代後期｜長崎歴史文化博物館
長崎に舶来した珍獣は各地で人気の見世物となった。1821年（文政4年）にオランダ船によってもたらされた雌雄2頭のラクダが各地を巡回し評判となった。

0-02

0-03

0-04

0-05 『造物趣向種』｜鬼拉亭力丸（編）、松川半山（画）
1787年（天明7年）｜個人

0-06 造り物（鶏）｜--｜復元｜大阪市立住まいのミュージアム

0-07 造り物（獅子）｜--｜復元｜大阪市立住まいのミュージアム

大阪の商家の店先を飾る「造り物」。鶏は櫛と刷毛、獅子は
嫁入り道具一式で見立てたもの。

0-08 菊の細工物「菊乃細工物 両国広小路ニおゐて／
市川団十郎 瀬川菊之丞 暫」

歌川豊国｜1818年（文政元年）

早稲田大学演劇博物館（資料番号001-1215）

文化文政期頃に菊細工から始まった菊人形は人気の興行
となり、現在まで受け継がれている。

0-05

0-06
0-07

0-08

0-09　医学館・薬品会の様子（上）、「造り物」の見世物（下）
『尾張名所図会』前編 巻2｜岡田啓（文園）、野口道直（梅居）
1880年（明治13年）｜愛知県図書館
江戸時代に行われた薬品会や物産会は集めたものを見せ
る博覧会のルーツともいえる。

0-10　松本喜三郎の異国人物生人形
「むふく国／あしなが国／手なが国／こんうん国」
歌川国芳｜1855年（明治13年）
早稲田大学演劇博物館（資料番号005-0917）
リアルで時にグロテスクな生人形は見世物で人気のアイテ
ムだった。

0-09

0-10

Column 2 江戸時代・大坂の町並みと「大つくりもの」の再現

「造り物」とは、江戸中期以降に開帳や遷宮、砂持などの祝祭的な性格が強い祭礼において、神仏への慶賀や慶祝の意味を込めた奉納物として造られた造形物である。主に、江戸、大坂、名古屋などの都市で発達し、全国各地へと広まっていった。江戸後期になるとさらに進化して、屋根や町全体を飾る大型の造り物が登場した|註1|。1846年(弘化3年)に行われた御津八幡宮末社の正遷宮では、心斎橋大丸の北隣に高さ10間の富士山、前の仕立屋に西行雪見の人形を置き、周辺の屋根には貝で作った龍、鯉の滝登り、二見が浦の日の出などを飾り、さらに南八幡筋の両側では、屋根に小松を植え、所々に石灯籠を置き、町の端には高灯籠を配して、町ごと住吉の風景を現出させた|註2|。

大阪くらしの今昔館には、江戸時代の大坂の町並み(大坂町三丁目)を実物大に再現した常設展示がある。この町並みでは、商売の賑わいだけでなく、天神祭の風景、町家のしつらいや年中行事など、様々な大阪の風景を体感することができる。2011年秋、この町並みを会場にして、特別展「大つくりもの」が開催された。テーマは「浦島太郎と龍宮城」。先行研究や文献史料に加え、参

考にしたのが錦絵の「人氣辰年浪花賑」(歌川貞広)である|註3|。この錦絵は、1880年(明治13年)に大阪の難波新地にある月の家(蛙茶屋)で行われた大珊瑚樹の見世物を題材にしたもので、龍宮造りの門の上に珊瑚樹を飾り、乙姫、浦島太郎、鯛や蛸の頭の飾りを付けた人形、大亀などを配置し、紅提灯を吊り、向こうに龍宮城の書割を立てている。町家の軒庇には、波と岩と珊瑚を配した幔幕を掛けて海を演出している。

今昔館で開催した「大つくりもの」展は、町内の氏神である安住大明神の遷宮という設定で、大坂町三丁目の町並みを海中にある龍宮城に見立て、通りや町家で、浦島太郎の物語にちなんだ飾りつけを行った。すなわち、展示室の前室には、浦島太郎が亀を助ける場面を切り絵で紹介し、木戸門を入った空中に、亀に乗って龍宮城を訪れる浦島太郎の造り物を配置した。表通りの中央に龍宮門の造り物を建て、両側の町家の店の間には、龍宮城にちなんで、宝船や龍王の造り物を飾った。一番奥の薬屋の店の間を乙姫御殿に見立て、家の前に乙姫の人形を置いた。さらに路地の奥にある安住大明神の祠(今回の遷宮の建物)を経て、裏長屋の路地の突き当りには、浦島太郎が

1   3,4

2

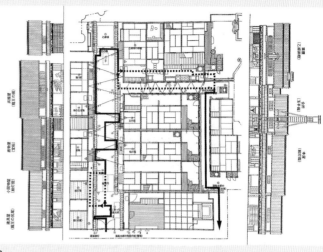

5

玉手箱を開けた場面を切り絵で展示し、浦島太郎の物語が終了するという趣向である｜図1｜。

　展示の制作にあたって、各地の祭礼に残っている造り物や飾り物を参考にした。亀に乗った浦島太郎、乙姫、龍宮門、龍王は大型の行燈型の造り物とし、他に『造物趣向種』｜p. 016, 0-05｜に掲載された帯一式の宝船｜図2｜、絵灯籠、そして切り絵などを制作した。こうして、江戸時代の大坂で町人たちの工夫により町全体をテーマパークにして楽しんでいた様子を再現できた。今昔館の町並みは定期的に夜の風景になる。あかりの灯った行燈の美しさは格別であった｜図3-5, 註4｜。

　造り物の全盛期は、おかげ参りの時代と重なる。造り物の流行は社会の動揺に敏感に反応した庶民の不安の表出であったとされている。そのためか、近代社会の到来とともに、造り物への興味は急速に薄れていった。「大つくりもの」を町ぐるみで飾った記憶は、現代人にはまったく残っていない。しかし、グリコの看板や派手な意匠など、「大阪的」と言われる町の風景は、この「大つくりもの」辺りに淵源があるのかもしれない。現代大阪の都市風景の深層に「大つくりもの」が存することを強調しておきたい｜註5｜。

［たになおき｜大阪市立大学名誉教授］

註1　相蘇一弘「大坂の臨時祭礼と造り物 −開帳・正遷宮・砂持−」、西岡陽子「造り物概観 −西日本を中心に−」（福原敏男・笠原亮二編『造り物の文化史』勉誠出版、2014年）。「大つくりもの −浦島太郎と龍宮城−」展では大阪芸術大学教授・西岡陽子氏の指導・協力を得た。

註2　『近来年代記』（大阪市史史料第1輯、昭和55年3月、大阪市史編纂所）

註3　明治13年1月12日付の「郵便報知新聞」に、「何でも新奇な事でなければ人気は取れぬものにて、諸観せ物も多きが中に一月一日より開場せし難波新地へ設けたる珊瑚樹の造り物は、予て評判の高かりしゆへ、吾も先きにと見物が押出し、一日より三日迄の観客は平均一日一万余人なりし」と、その評判を報じている。

註4　造り物は、高橋提灯株式会社、岐阜県関市の「あんどんみこしコンクール」で実績のある関みこし愛好会と金龍親友会、大阪人間科学大学吉田研究室、大阪市立大学谷研究室、今昔館町家衆が分担制作した。

註5　本稿の詳細は、「特別展 "大つくりもの −浦島太郎と龍宮城−"展示の企画・設計とその評価」（谷直樹ほか『大阪市立住まいのミュージアム研究紀要・館報』10号・平成23年度）を参照のこと。

図1　今昔館の町並みが「大つくりもの」の町並みに大変身
（左：常設展の町並み、右：企画展時の町並み）

図2　「大つくりもの」展の宝船

図3,4　「浦島太郎と龍宮城」の大つくりもの
（上：龍王、下：乙姫さんのイベント）

図5　「大つくりもの」の配置図、左図と右図は表通りの連続立面図

第1章
博覧会のはじまり
1851−1911

1

産業革命を世界に先駆けて経験したイギリスで、1851年に開催されたロンドン万国博覧会が、近代博覧会のはじまりとされている。その後、博覧会の中心はフランス・パリに移り、1900年のパリ万国博覧会で文化芸術的な華やかさにおいて頂点に達したと言われている。アメリカでもフィラデルフィアとシカゴで万国博覧会が開かれ、日本も出展・参加した。博覧会は日本が西洋に広く紹介され、認識された場でもあった。そのインパクトはジャポニズムやアールヌーボーの流行など日本ブームを巻き起こした。

———

日本人が博覧会に初めて接したのは1862年（文久2年）の第2回ロンドン万国博覧会だった。それに続く、1867年（慶応3年）の第2回パリ万国博覧会では、幕府と薩摩藩、佐賀藩が参加し、博覧会を通じて日本が国際社会にデビューする機会となった。

———

明治政府は博覧会を近代国家建設と殖産興業にとって欠かせないものと考え、1873年（明治6年）のウィーン万博への参加を決める。その前年の1872年（明治5年）には、ウィーン万博参加への準備を兼ねて、文部省博覧会が行われた。その後、政府主催による内国勧業博覧会が開かれ、日本の産業・技術や美術・工芸の発展にも大きな影響を与えた。

In 1851 the Great Exhibition of the Works of Industry of All Nations was held in London, England, where the first Industrial Revolution started. It marked the first modern exposition. Later, the center of the exposition moved to Paris, France. The 1900 Paris Exposition is said to have reached a peak of cultural and artistic splendor. International expositions were also held in the United States, in Philadelphia and Chicago, with Japan as a participating country. These occasions provided Japan with the chance to be widely known and recognized in the West. Their impact even gave rise to a Japan boom, exemplified by the popularity of Japonisme and Art Nouveau.

———

The first time Japanese people visited a world's fair was at the second London International Exhibition on Industry and Art in 1862. Following that, the Tokugawa shogunate and the two domains of Satsuma and Saga took part in the second Paris International Exposition of 1867. Through the exposition, Japan had the opportunity to make its debut in the international community.

———

The Meiji government considered the exposition as an indispensable tool for the construction of a modern nation and for the promotion of industry, and decided to participate in the Vienna World's Fair of 1873. In the preceding year, 1872, the Ministry of Education Exhibition was held in preparation for Japan's participation in the Vienna World's Fair. Subsequently, a series of government-sponsored National Industrial Exhibitions were organised, and had a great influence on the development of Japanese industry, technology, arts and crafts.

1851 **The Great Exhibition of Works of Industry of All Nations**

第1回ロンドン万国博覧会

世界で最初の万国博覧会は、世界の海を制し大英帝国の頂点に君臨したビクトリア女王治世下の1851年にロンドンのハイドパークで開かれた。ビクトリア女王の夫で王立技芸院総裁でもあったアルバート公が中心となって推進された。イギリスはこの博覧会を開催することで、世界に向けて圧倒的な工業力を知らしめることとなった。この博覧会にあって目玉となった展示施設が、造園家のジョセフ・パクストンが設計した鉄とガラスを使ったクリスタル・パレス(水晶宮)であった。外光を十分に採り入れた鉄骨構造による大空間の展示場は、その後の博覧会建築にも大きな影響を与えた。この博覧会は嘉永4年の『別段風説書』によって日本にもその様子が伝えられた。

1-01

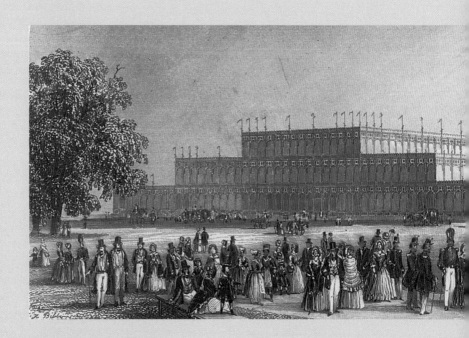

1-02

● 開催期間：1851年5月1日−10月11日｜会場：ハイドパーク公園（イギリス／ロンドン）｜来場者：6,039,195人
　参加国：25ヶ国｜面積：104,000m²

1-01, 02　*Tallis's History and Description of the Crystal Palace and Exhibition of the World's Industry in 1851 London 1*｜JOHN TALLIS AND CO., 1851年（嘉永4年）

1-03　イラストレイテッド・ロンドン・ニューズ
Illustrated London News (1851)｜--
1851年（嘉永4年）｜神奈川県立歴史博物館

1-03

第1章　博覧会のはじまり　1851-1911

1-04 「1シリングの日」に見学する労働者階級の人々
イラストレイテッド・ロンドン・ニューズ
Illustrated London News (1851.7.19)｜--
1851年（嘉永4年）｜神奈川県立歴史博物館

1-05 イラストレイテッド・ロンドン・ニューズ
Illustrated London News (1851.8.2)（部分）｜--
1851年（嘉永4年）｜神奈川県立歴史博物館

1-04

1-05

1-06　『嘉永四年 別段風説書』｜崎陽訳｜1851年（嘉永4年）
神奈川県立歴史博物館
オランダから幕府に提出された嘉永4年（1851年）の『別段風
説書』により1851年のロンドン万博のことが日本に初めて伝
えられた。

1-07　『西洋聞見録』｜村田文夫｜1869年（明治2年）
イギリスに「留学」した広島藩士、村田文夫がまとめたイギリ
スに関する見聞録。その中に「博覧会」と1851年のロンドン
万博についての記述がある。

1-06

1-07

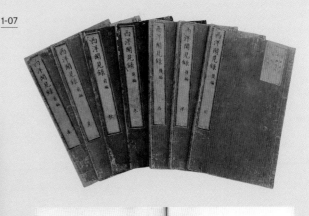

第2回ロンドン万国博覧会

第2回ロンドン万国博覧会は、参加国を第1回目の25ヶ国から39ヶ国に規模を広げ、ケンジントンの王立園芸協会公園で開かれた。会場には、初代イギリス駐日公使のラザフォード・オールコックが収集した陶磁器や漆器、染織品など、日本の美術工芸品が紹介された。この展示が日本文化に対するヨーロッパの人々の興味を惹きつけるきっかけとなった。また条約改正のために徳川幕府が派遣した文久使節団一行は、博覧会の開幕式に賓客として招かれた。同行した福澤諭吉は、後に『西洋事情』を著し、博覧会が日本の人々にも広く知られることとなった。

1-08

1-09

● 開催期間：1862年5月1日－11月1日｜会場：ケンジントン公園（イギリス／ロンドン）｜来場者：6,096,617人
参加国：39ヶ国｜面積：110,000m²

1-08　**会場を視察する文久使節団**
イラストレイテッド・ロンドン・ニュース
Illustrated London News (1862.5.24)｜--
1862年（文久2年）｜神奈川県立歴史博物館

1-09　**日本の使節団**
イラストレイテッド・ロンドン・ニュース
Illustrated London News (1862.5.10)｜--
1862年（文久2年）｜神奈川県立歴史博物館

1-10　**イラストレイテッド・ロンドン・ニュース**
Illustrated London News (1862.9.20)｜--
1862年（文久2年）｜神奈川県立歴史博物館
イギリス駐日公使オールコックが収集したコレクションが展示
された日本コーナー。

1-11　**イラストレイテッド・ロンドン・ニュース**
Illustrated London News (1862.1.25)｜--
1862年（文久2年）｜神奈川県立歴史博物館

1-12　**『西洋事情』初編巻之一**｜**福澤諭吉**｜**1866年（慶応2年）**
慶應義塾大学メディアセンター
万延元年（1860年）にアメリカに渡り、文久使節団にも参加
した福澤諭吉が帰国後、欧米の事情について記した『西洋
事情』を出版した。その中で「博物館」と「博覧会」についても
紹介している。

1-12

1-10

1-11

第1章｜博覧会のはじまり　1851-1911

幕末日本へ伝えられた世界初の万国博覧会

> 一当時エケレス国都府に、世界諸邦出産の諸物を見物いたし候為の場所を設け有之候 |註1|

「現在、イギリスの首都において世界各国で製造された諸品を観覧するための場が設けられている」という。嘉永4年4月1日（1851年5月1日）にイギリスのロンドンで開幕した世界初の万国博覧会について伝えた記述である。

この一文は、1851年（嘉永4年）年夏に長崎へ来航したオランダ船に搭載されていた、日本では《別段風説書》|註2|と称された海外情報書に記載されていたものである。江戸時代「鎖国」下にあった日本において唯一外国との交易が許されていた長崎には、毎年夏になると中国船とオランダ船が交易を目的として来航しており、交易品とともに海外情報も日本へ伝えられていたのである。これにより開幕からわずか3か月後には、万国博覧会は日本人の知るところとなったのである。

この興味深い記述が記載された《別段風説書》がオランダから提出されるようになったのは「鎖国」政策をとったことによる。「鎖国」により日本人自らが海外へ赴き、情報を収集することができなくなったが、「鎖国」を維持するためには来航を禁止したイスパニア（スペイン）やポルトガルなどの異国の動向を知ることが必要不可欠であった。そこで、年1回交易を目的として定期的に来航する中国とオランダから《風説書》が長崎奉行を通じて幕府へ提出されるようになった。とくに、西洋に関する情報はオランダが提出した《風説書》に詳しく、中国からのものと区別するために《オランダ風説書》と呼ばれた。

その後、それまでの《オランダ風説書》とは別に、1840年（天保12年）にイギリスと清の間で始まったアヘン戦争に関する情報に特化した《別段風説書》があわせて提出されるようになると、以後

アヘン戦争情報だけでなく当時の世界情勢についても《別段風説書》に詳しく記載されるようになり|註3|、幕末における江戸幕府の対外政策に大きな影響を及ぼすようになっていた。

その《別段風説書》で、ロンドン万国博覧会がはじめて紹介されたわけであるが、「万国博覧会」という用語は見られない。《別段風説書》は、オランダの植民地であったインドネシアのバタフィア（現、ジャカルタ）に置かれていた東インド政庁で、英字新聞などをもとに編纂されていた。博覧会の準備段階から積極的に記事にしていた1840年に創刊された《絵入りロンドン・ニューズ》でも、この博覧会について"Exhibition of the Works of Industry of All Nations in 1851 |註4|"あるいは"The Great Exhibition of Industry, 1851 |註5|"などと表記されており、英語圏で通用している表記をもとにオランダ語に翻訳され、そのオランダ語を日本語に翻訳した表現が冒頭の一文である|註6|。

このコラムの冒頭に掲げた一か条につづくロンドン万国博覧会に関する6か条のうち、5か条にわたって博覧会の象徴であったクリスタル・パレス（水晶宮）|註7|に関して記述されている。そこでは「此場所に建有之候家は全く硝子并鉄拵」という

1

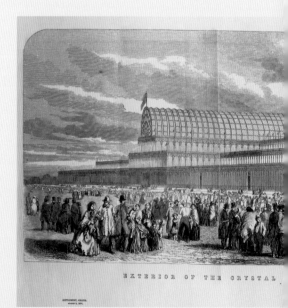

EXTERIOR OF THE CRYSTAL

SUPPLEMENT, GRAND
AUGUST 5, 1851.

2

水晶宮の特徴である、総ガラス張りの鉄骨建築であること、東西に延びる身廊と南北に延びる袖廊｜註8｜のそれぞれの全長、幅、高さや、アーチ状の袖廊の屋根で使用された鋳鉄が2,244本であることに加え、ガラスの総面積が90万平方フィートでその重さが400トンであったことなど、《絵入りロンドン・ニュース》などの新聞に記載された通りの詳細なデータを提供している。そして最後の箇条で「大仕掛の家内に世界国々の」ブースがそれぞれ設けられ、そこに各国から送られた諸品が観覧者のために「餝付」られていたということ、そして2、3の中国商人グループが、観覧および自国製品を出品するためにイギリスへ向かい、航海に使った船自体を展示したということを伝え終わっている。

　　産業革命を経て工業国へと変貌を遂げようとしていたイギリスで世界初の万国博覧会が開催されるのは必然であった。世界各国から製品を集め、それを観覧する大イベントを開くことができるイギリスの国力とともに、西洋の産業界に大きな変化があったことを、当時の日本人はまざまざと実感したことであろう。

　　［しまむらもとひろ｜神奈川県立歴史博物館主任学芸員］

註1　《阿蘭陀別段風説書》崎陽訳、嘉永4年、阿部家資料、神奈川県立歴史博物館所蔵。

註2　《別段風説書》については、風説書研究会『オランダ別段風説書集成』（青山学院大学総合研究叢書、吉川弘文館、2019年）を参照。以下、《別段風説書》全般にかかわる記述は本書に拠る。

註3　嶋村元宏「《史料紹介》阿部家旧蔵『別段風説書』について—ペリー来航前夜の世界情勢—」『神奈川県立博物館研究報告—人文科学—』第21号、参照。

註4　Illustrated London News, London, January 19, 1850. 神奈川県立歴史博物館所蔵。

註5　ibid, February 2, 1850.

註6　松方冬子編『別段風説書が語る19世紀——翻訳と研究』（東京大学出版会、2012年）によれば、当時のオランダ語原文は、「地球上のあらゆる地域の芸術品及び産業品の展示会」と訳せる（231頁）。

註7　ibid, August 2, 1851.

註8　《別段風説書》の作成にかかわったオランダ商館長も日本人通詞（通訳）も「袖廊」について十分理解できていなかったようであり、「ドワルスシキップ船の一種」と中央部に巨大な船が配されていたように訳している（前註1、《阿蘭陀別段風説書》）。万国博覧会会場となったハイド・パークの水晶宮建設予定地には、ロンドン市民に愛された3本の楡の木があり、その保護を求め万国博覧会そのものの反対運動が起きた。その解決策として、その楡の木を覆う袖廊をつくることで反対派を押し切った。

図1　《阿蘭陀別段風説書》崎陽訳 嘉永4年（p.025, 1-06）

図2　EXTERIOR OF CRYSTAL PALACE ERECTED IN HYDE PARK FOR THE EXHIBITION OF THE INDUSTRY OF ALL NATIONS. OPENED THE 1ST OF MAY, 1851. SOUTH-EAST VIEW (p.024, 1-05)

第2回パリ万国博覧会

1855年に開かれた第1回パリ万博に続き、第2回パリ万国博覧会が1867年にパリのシャン・ド・マルス（旧練兵場）で開かれた。第二帝政の皇帝ナポレオン3世は、ロンドン万博に対抗するものとしてこれを位置づけた。産業博覧会ではあるが、文化芸術的性格を強めたものとなった。この博覧会には、徳川幕府と薩摩藩、佐賀藩がそれぞれ参加し、日本が初めて国際社会にデビューする機会となった。幕府は、将軍徳川慶喜の弟、徳川昭武を公使とする使節団を派遣し、渋沢栄一も随行した。また清水卯三郎は日本人の商人として初めて万博に参画し、茶店を出店している。お茶の接待をする3人の芸妓が人気を呼んだ。

1-13

1-14

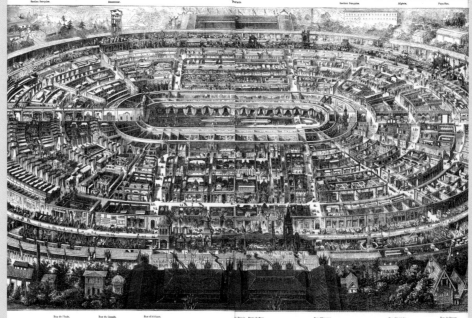

PALAIS DE L'EXPOSITION. — LA VUE EST SUPPOSÉE PRISE DU BALLOTIF (PORTE SUFFREN), LA TOITURE DU PALAIS ENLEVÉE

CHAPTER 1

- 開催期間：1867年4月1日─11月3日｜会場：シャン・ド・マルス庭園（フランス／パリ）｜来場者：15,000,000人
  参加国：42ヶ国｜面積：687,000m²

1-13 ドイツのクルップ社の大砲
*GRAND ALBUM DE L'EXPOSITION
UNIVERSELLE 1867*｜--｜1867年（慶応3年）

1-14 シャン・ド・マルスの巨大展示場（バレ）
『ル・モンド・イリュストレ』1867｜--｜1867年（慶応3年）
松戸市戸定歴史館

1-15,16 イラストレイテッド・ロンドン・ニューズ
Illustrated London News (1867.12.21) --
1867年（慶応3年）｜神奈川県立歴史博物館

1-17 清水卯三郎が出店した茶店
『ル・モンド・イリュストレ』1867｜--｜1867年（慶応3年）
松戸市戸定歴史館

江戸の商人、清水卯三郎が出店した茶店。博覧会で初めて日本の建築が建てられた。

1-18 日本人芸妓たち
『ル・モンド・イリュストレ』1867｜--｜1867年（慶応3年）
松戸市戸定歴史館

かね、さと、すみの3人の江戸柳橋の芸者による茶店での接待が人気を博した。

1-15

THE BUTTERFLY TRICK.

THE TOP-SPINNER.

1-16

THE JAPANESE WOMEN IN THE LATE PARIS INTERNATIONAL EXHIBITION.

1-17

1-18

第1章　博覧会のはじまり　1851-1911

031

1-19
徳川昭武と従者たち
L'Illustration Journal Universel (1867.4.27) ｜ --
1867年（慶応3年）｜松戸市戸定歴史館

1-20
イギリスの新聞に紹介された徳川昭武
イラストレイテッド・ロンドン・ニューズ
Illustrated London News (1867.12.21) ｜ --
1867年（慶応3年）｜神奈川県立歴史博物館

1-19

1-20

1-21

1-22

1-23

1-24

ウィーン万国博覧会

オーストリア皇帝フランツ・ヨーゼフの治世25年を記念してウィーンのプラーテル公園で行われた。233万平米に及ぶ広大な敷地に展示場が配置され、ウィーンの都市改造にも大きな影響を与えた。日本政府として、公式に参加した最初の万国博覧会である。出展にあたり、大隈重信を総裁、佐野常民を副総裁とし、博覧会御用掛として町田久成や田中芳男も加わった。ドイツ人のお雇い外国人G.ワグネルやアレクサンダー・フォン・シーボルトが出品物の選定に加わり、金の鯱や張りぼての鎌倉大仏などが展示され人気を集めた。明治政府にとって万国博覧会は、日本のすぐれた工芸品を紹介し輸出を促進するとともに、ヨーロッパ先進諸国の工業技術を習得することも重要な目的とされた。

1-25

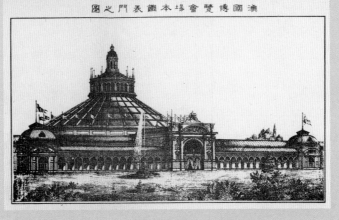

CHAPTER 1

開催期間：1873年5月1日–10月31日｜会場：プラーデル公園（オーストリア／ウィーン）｜来場者：7,255,000人
参加者：35ヶ国｜面積：2,330,000m²

1-25
日本展示コーナー入口、会場本館表門の図
『澳国博覧会参同記要』｜田中芳男、平山成信
1955年（昭和30年）、1897年（明治30年）（初版）

1-26
イラストレイテッド・ロンドン・ニューズ
Illustrated London News (1873.5.10)｜--
1873年（明治6年）｜神奈川県立歴史博物館

1-27
『米欧回覧実記』第1編–第5編
久米邦武｜1878年（明治11年）｜久米美術館
岩倉使節団に随行した久米邦武がヨーロッパの政治、経
済、文化等について幅広く記録した報告書。ウィーン万博
についても詳しく触れている。

1-28
『維納博覧会見聞録別記』（子育の巻）｜近藤真琴
1875年（明治8年）（初版）
日本館事務官としてウィーン万博に参加した教育家の近藤
真琴が「童子館」のパビリオンに感銘を受け、帰国後まとめ
た同書には、西洋の子育てや幼児教育について絵入りで
詳しく紹介されている。

1-29
『昨夢録』｜平山成信｜1925年（大正14年）｜久米美術館
ウィーン万博に派遣された平山成信が50年後に当時のこと
を回想した回顧録。平山成信はその後も多くの博覧会に関
わることとなる。

1-26

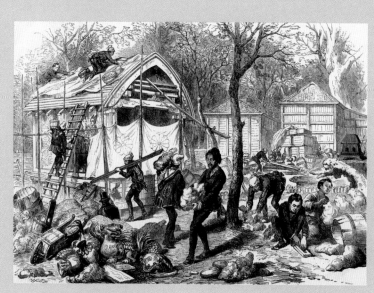

1-27

1-28

1-29

Centennial Exhibition of Arts, Manufactures and Products of the Soil and Mine

フィラデルフィア万国博覧会

アメリカ合衆国独立100年を記念し、独立宣言が行われたフィラデルフィアで開かれたアメリカで最初の大規模な万国博覧会である。75万平米の敷地に、大陳列館、機械館、農業館など167の展示館が建てられた。目的に応じた各種建物を用意するパビリオン形式の会場構成を採用し、以後、このスタイルが博覧会の会場計画の主流となる。内務卿大久保利通が総裁、西郷従道が副総裁となり、田中芳男が事務官となって、日本政府の出展が進められた。日本館の出品物は工芸品が中心であったが、特に陶磁器に力が注がれた。この博覧会はアメリカに日本ブームを巻き起こすきっかけとなった。

1-30

● 開催期間：1876年5月10日－11月10日｜会場：フェアモントパーク（アメリカ／フィラデルフィア）｜来場者：10,000,000人
　参加者：35ヶ国｜面積：750,000m²

1-30　　パビリオンの様子（The Woman's Pavilion）
　　　　Frank Leslie's Historical Register of The
　　　　Centennial Exposition, 1876
　　　　Frank Leslie｜1876年（明治9年）

1-31　　日本庭園
　　　　Frank Leslie's Historical Register of The
　　　　Centennial Exposition, 1876
　　　　Frank Leslie｜1876年（明治9年）

1-32　　作業部屋の日本の職人たち
　　　　Frank Leslie's Historical Register of The
　　　　Centennial Exposition, 1876
　　　　Frank Leslie｜1876年（明治9年）

1-31

1-32

第3回パリ万国博覧会

普仏戦争でドイツに敗れ、第三共和政となったフランスが国際社会をリードし、再び文化の中心として復活を遂げたことを諸外国に知らしめようと開かれた3回目の万国博覧会であった。前回の会場であったシャン・ド・マルスに加え、セーヌ河を挟んで北岸のトロカデロまで会場を広げ、35ヶ国が参加した。また会場内には水族館や植民地パビリオンもつくられた。アメリカはシンガー社のミシンやトーマス・エジソンの蓄音機を出品し話題となった。日本はシャン・ド・マルスとトロカデロに日本館と日本庭園、茶室などを建て、日本文化を積極的にアピールした。ジャポニズム全盛の時代でもあり、日本は輸出拡大を求めて積極的に参加していった。

1-33

● 開催期間：1878年5月20日─11月10日｜会場：シャン・ド・マルス庭園（フランス／パリ）｜来場者：16,156,626人
参加者：35ヶ国｜面積：750,000m²

1-34

1-35

1-36

第4回パリ万国博覧会

フランス革命100年を記念して、4回目となるパリ万国博覧会が開催された。従前の万博で使用された会場に加えて、セーヌ河左岸とアンヴァリッド前庭が会場となった。最大の呼び物となったのが、700近くの設計案の中から選ばれた高さ312メートルの鉄塔である。設計者の名前にちなみ、エッフェル塔の名で知られるようになる。建設時には景観が壊されると住民の反対運動もあったが、完成すると展望台に昇る入場者の長蛇の列ができるほどの人気となり、博覧会のみならずパリを象徴するモニュメントとなった。またエジソンが発明した白熱電灯（アークライト）によるイルミネーションを施したり、夜間開場が行われるなど、照明による演出が話題を集めた。

1-37

1-38

1-39

● 開催期間：1889年5月5日－10月31日｜会場：シャン・ド・マルス庭園（フランス／パリ）｜来場者：32,250,297人
参加者：35ヶ国｜面積：960,000m²

1-40

1-42

1-41

1-43

第1章｜博覧会のはじまり　1851-1911

1-44   エッフェル塔のイラスト│--│複製

1-44

CE QUE SERA LA TOUR EIFFEL LA GRANDE ATTRACTION DE L'EXPOSITION UNIVERSELLE DE PARIS 1889.

1-45

シカゴ万国博覧会

コロンブスによる新大陸発見400年を記念し開かれた。ミシガン湖畔の土地を造成して確保された290万平米の会場には、新古典主義様式で統一された多くの展示館が建設された。新たに誕生した人工都市は、白熱灯で夜間も明るく照らされ、「ホワイト・シティ」と呼ばれた。パリのエッフェル塔に対抗するべく建造された「フェリス・ホイール」と呼ばれる巨大な観覧車が人気を集めた。また会場とシカゴの中心部を結ぶ高架電車が建設され、港には「動く歩道」が登場した。日本政府は、宇治の平等院鳳凰堂を模した「鳳凰殿」を建設し、内部には日本の美術工芸品が展示された。抹茶席、煎茶席などもあり、アメリカ人の人気を集めた。

1-46

1　2

3　4

1-47

1　2　3

CHAPTER 1

● 開催期間:1893年5月1日-10月3日│会場:シカゴ・ジャクソン公園(アメリカ/シカゴ)│来場者:27,500,000人
参加者:19ヶ国│面積:2,900,000m²

1-46　SHEPPS WORLDS FAIR PHOTOGRAPHED
J.W.Shepp & D.B.Shepp│1893年(明治26年)
1: 鳳凰殿。平等院鳳凰堂を模して建てられた3棟の建築。
平安時代の神殿造と室町時代の書院と茶室、江戸時代
の書院造が再現されている。
2:日本の茶店│3:展示されたエスキモーの人々
4:展示されたアラスカインディアンの人々

1-47　『臨時博覧会事務局報告附属圖』
臨時博覧会事務局│1893年(明治26年)
1: 美術館内の日本コーナー│2: 鳳凰殿内の展示
3: 工芸館内の日本コーナー

1-48　『閣龍世界博覧会美術品画譜』久保田米遷(画)、
大倉書店│1893年(明治26年)-1894年(明治27年)
画家で報道記者でもあった久保田米遷がシカゴ万博の日
本の展示を詳細にスケッチしたもの。自らもパリ万博やシカ
ゴ万博に作品を出品している。

1-48

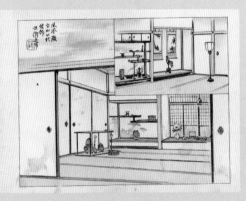
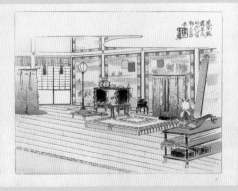

L'Exposition de Paris 1900

第5回パリ万国博覧会

19世紀を締めくくり、20世紀を展望するパリ万博史上、最も華やかで最大規模の博覧会となった。グラン・パレ（大宮殿）とプチ・パレ（小宮殿）が新築された。セーヌ河両岸を結ぶアレキサンドル三世橋が架けられ、会場内はアールヌーボーの時代を象徴する装飾デザインで彩られた。この博覧会で地下鉄が初めて走り、「動く歩道」や電気館、水宮噴水など電気を使ったアトラクションが人々を楽しませた。リュミエール兄弟によるシネマトグラフの映画の上映も行われた。日本館は、清国などの出展とともに、欧米諸国の植民地の出展を集めたトロカデロ地区に割り当てられた。万博にあわせてロイ・フラー劇場で川上音二郎一座が興行を行い、主演女優である川上貞奴が「マダム貞奴」として人気を博した。

1-49

Forêts et pêche

1

1-50

- 開催期間：1900年4月15日−12月11日｜会場：トロカデロ公園他（フランス／パリ）｜来場者：50,860,801人
  参加者：40ヶ国｜面積：1,200,000m²

1-49　パリ万国博覧会 絵葉書｜--｜1900年（明治33年） 1：光と水による幻想的な演出が人気を呼んだ水城宮と噴水広場。 2：シカゴ万博に続いて「動く歩道」が話題になった。	1-50　『千九百年巴里萬国博覧会 臨時博覧会事務局報告（上）』 農商務省｜1900年（明治33年） 1-51　トロカデロに建設された日本庭園と法隆寺金堂を模して造られた日本特別館。 1-52　パリ万博 入場券｜--｜1900年（明治33年）

1-51

1-52

日英博覧会

日本とイギリスの2ヶ国による国際相互博覧会として開催された。日清・日露戦争で勝利し、列強の仲間入りをしたことを海外に示すとともに、日英同盟の強化により貿易促進をはかることが目的であった。イギリス側の主催者は民間人のイムレ・キラルフィーで、1908年の英仏博覧会の会場跡地であるロンドン近郊のシェパーズ・ブッシュ（現ホワイトシティ）を再活用して行われた。日本側の展示面積は、イギリスの3倍にあたる4万5千平米に及んだ。日本館には、陸海軍両省のほか、農林、通信などの各省庁が出展した。有名商社も陳列場や特設館をつくり、日本の美術・工芸品などを展示した。また茶の普及を目的に日本喫茶店と台湾喫茶店が設けられた。

- 開催期間：1910年5月14日－10月29日｜会場：ロンドン近郊のシェパーズ・ブッシュ｜来場者：8,350,000人
  参加者：2ヶ国｜面積：45,000m²

1-54

1-55

日本の博覧会

1871 **京都博覧会**

1871年（明治4年）、明治維新による東京遷都により沈滞した京都を活性化させようと、三井家の当主、三井八郎右衛門（高福）ら京都の豪商が中心となり、西本願寺を会場に博覧会の開催が企画された。日本で最初に博覧会と称した催事であり、国内各地で同種の博覧会が開催される先鞭となった。産品のほか、武具、古書画、古陶磁などの旧物も出品され、骨董品の展示会を兼ねた物産会という性格の催しであった。翌年の明治5年には、京都博覧会社が結成され、第一回京都博覧会が開かれた。西本願寺に加え、建仁寺と知恩院の3会場で行われ、外国人も多く訪れた。このとき披露された祇園の芸妓による都踊は春の風物詩として現在まで続いている。その後、京都博覧会は昭和2年まで毎年開かれている。

1-56

1-57

1-58

文部省博覧会

文部省博物局による博覧会が1872年(明治5年)、東京の湯島聖堂大成殿を会場に行われた。翌年に控えたウィーン万国博覧会における政府の出品を準備するなかで企画されたもので、前年に大学南校(文部省の前身)で開かれた物産会の資料を引き継ぐとともに、御物をはじめとする古器旧物のほか、出土品や武具、動植物標本類など、広く全国から集められた約620点が陳列された。呼び物となったのが名古屋城の金鯱で、連日3,000人以上が押し寄せる人気ぶりだった。当初会期を3月10日から20日間としていたが4月末まで延期された。金鯱を含めた出品物は閉会後、ウィーン万博に展示するために海を渡った。

1-62

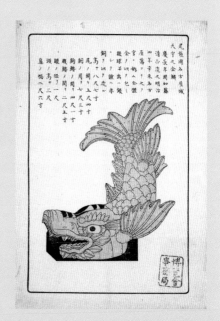

1877

第一回内国勧業博覧会

1-63　　　　内国勧業博覧会美術館之図｜三代歌川広重
　　　　　　1877年（明治10年）｜長崎歴史文化博物館

1-63

「富国強兵」と「殖産興業」をスローガンに明治政府の近代化政策が進められるなかで、殖産興業の一環として1877年（明治10年）、東京上野公園で第1回内国勧業博覧会が開かれた。

約10万平米の敷地内に美術館、機械館、園芸館、農業館など6つの展示館が建てられた。寛永寺本坊跡に建てられた煉瓦造りの美術展示施設は、「美術館」という名を冠した日本で初めての建物となる。

出品物は全国から集められ、出品人は1万6千余人、入場者は102日間で45万人を超えた。以後、内務省に加えて大蔵省も所管することになる。

同じ上野の地で1881年（明治14年）に第二回内国勧業博覧会が、1890年（明治23年）に第三回内国勧業博覧会が開かれた。

以後、5年ごとに開かれることが決められた。

1-64　　勧業博覧会瓦斯館之図｜小林清親
　　　　1877年（明治10年）｜長崎歴史文化博物館

1-65　　上野公園地博覧会御開業図｜古林進斎
　　　　1877年（明治10年）

1-64

1-65

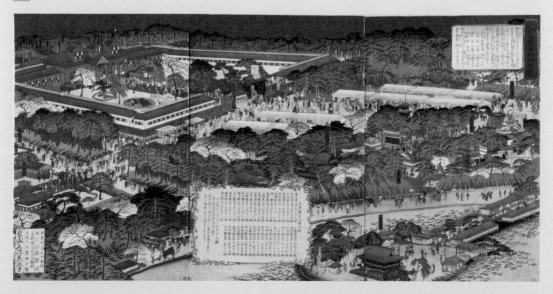

1-66 　大日本内国勧業博覧会 製糸器械之図
　　　　二代歌川国明｜1877年（明治10年）

1-67 　内国勧業博覧会開場御式の図
　　　　楊州周延｜1877年（明治10年）

1-68 　明治十年内国勧業博覧会列品写真帖｜--
　　　　1877年（明治10年）｜尼崎市立歴史博物館
　　　　1:「美術館」と銘打った日本で初めての美術館
　　　　2: 美術館の内部
　　　　3: 製糸器械

1-66

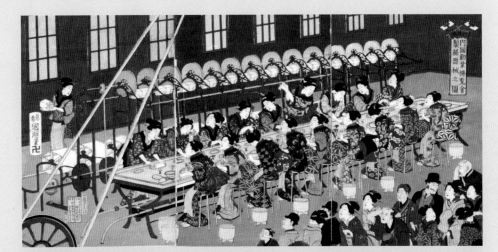

1-67

第1章｜博覧会のはじまり　1851-1911

1-68

1　　　　　　　　　2　　　　　　　　　3

第二回内国勧業博覧会

1-69 第二回勧業博覧会内美術館噴水｜小林清親
1881年（明治14年）｜長崎歴史文化博物館

1-70 第二回内国勧業博覧会｜歌川国利
1881年（明治14年）

1-69

1-70

東京名所上野博覧会縦覧之図｜歌川房種
1881年（明治14年）

1-72 東京名所上野公園内国勧業第二博覧会美術館図
三代歌川広重｜1881年（明治14年）
会場内に建設されたイギリス人のお雇い外国人コンドル設
計による煉瓦造の博物館。関東大震災で取り壊されるまで
使用された。

1-73 内国勧業博覧会ノ図｜楊州周延
1881年（明治14年）

1-72

1-73

出品物写真帖 | -- | 1881年（明治14年）
尼崎市立歴史博物館
1：宮川香山の出品作 褐釉蟹貼付台付鉢
2：時計台前の噴水
3：宮川香山の出品作「猩々」を表現した噴水

1-75 『第二回内国勧業博覧会列品図録』
佐々林信之助 | 1881年（明治14年）

1-74

1　　　　2　　　　3

第1章｜博覧会のはじまり 1851–1911

1-75

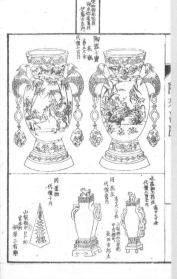
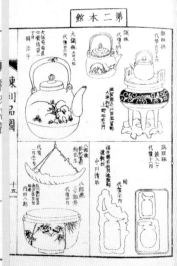

第三回内国勧業博覧会

1-76

1-77

1-81　**山葉オルガン｜日本楽器製造株式会社**
　　　1927年（昭和2年）

日本楽器製造株式会社（現・ヤマハ株式会社）製の山葉オルガン。メダルの図柄が
刻印されている第三回内国勧業博覧会をはじめ、多くの博覧会で賞を受賞した。

1-78

1-79

1-80

1-81

第四回内国勧業博覧会

平安遷都千百年の記念事業を兼ねて、1895年（明治28年）に第四回内国勧業博覧会が京都で開催された。前年に日清戦争が起こり、中止や延期論も出たが、殖産興業に対する政府の強い方針のもと決行された。岡崎に確保された4万7千平米の会場内には、美術館、工業館、農林館、機械館、水産館、動物館が建てられ、さらに神戸市の和田岬には水族館が設けられた。開会に先立って、会場の一部を占めるかたちで桓武天皇を祀る平安神宮が創祀された。社殿は平安京の内裏正庁である朝堂院を、外拝殿は大極殿を約8分の5の縮尺で復元したものである。会期中の入場者は113万6千余人と活況を呈した。黒田清輝が出品した裸体画をめぐる騒動や、日本初の市街電車の開通など、話題の多い博覧会でもあった。

1-82

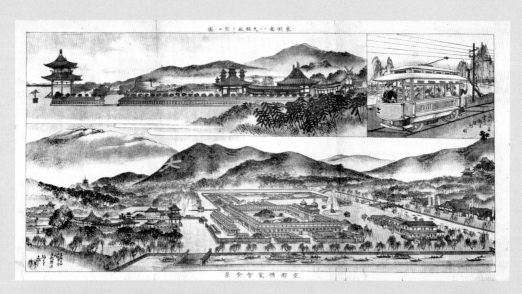

1-83

1-82 京都博覧会全景・東側面ヨリ大極殿ヲ望ムノ図

　　　 『風俗画報』折込 | -- | 1895年(明治28年)

1-83 第四回内国勧業博覧会平安神社大極殿之図

　　　 淺井末吉、京都絵画館

　　　 1895年(明治28年)

　　　 博覧会会場の鳥瞰図。平安遷都1100年を記念し平安神

　　　 宮が創建された。

1-84 『風俗画報』 | 東陽堂 | 1895年(明治28年)

第1章｜博覧会のはじまり　1851-1911

1-84

第五回内国勧業博覧会

1903年（明治36年）に第五回内国勧業博覧会が大阪・天王寺公園で開かれた。明治期における国内最大の博覧会となった。32万3千平米の会場に、農業館、林業館、水産館、工業館、機械館、教育館、美術館など10の展示館が建設された。外国産品の参考出品も認められたことから、イギリス、ドイツ、アメリカ、フランス、ロシアなど合計18ヶ国の品々が、参考館や特設館に陳列された。英国領であったカナダは単独館での出展を行なっている。第二会場となった堺大浜には水族館が建設され、会期後も継続して開館し、市民に親しまれた。日本初となるイルミネーションやウォーターシュート、メリーゴーランド、不思議館などの余興も人気を集めた。さらに会場外の余興として、アイヌ、インド、ジャワなど諸民族の生活を見せる「学術人類館」を営業する業者もあった。人間を見世物とする展示に対して清国や沖縄から抗議を受け、展示の一部を取りやめるなど社会問題となった。

1-85

1-86

1-87

1-88

1-89

1-90 　『風俗画報』第二百七十五号　　　　　　　1-91 　『風俗画報』第二百六十九号
　　　　東陽堂│1903年（明治36年）　　　　　　　　　　　東陽堂│1903年（明治36年）
　　　　1：大曲馬、台湾芝居、ウォーターシュート　　　　1：堺水族館│第2会場として堺大浜につくられた水族館。
　　　　2：大阪で最初のエレベーター　　　　　　　　　博覧会後も水族館として親しまれた。
　　　　3：不思議館のカーマンセラー嬢の踊り　　　1-92,93 　出品人入場券│--│1903年（明治36年）

1-90

1

2　　　3

1-91

1

1-92   1-93   1-94   1-95   1-96

第1章　博覧会のはじまり　1851-1911

日本の博物館は、博覧会から始まった!?

日本の博物館の始まりは、1872年(明治5年)年3月10日。というのも、東京国立博物館が湯島聖堂博覧会の開催を「創立・開館の時」としているからであり|註1|、それをもって日本の博物館の始まりとするのが一般常識として存在するのである。つまり、ExpositionをもってMuseumの始まりとするという、ある種奇々怪々な事実があるのだ。

当初20日間の予定で開催された博覧会は、大好評につき延長に延長を重ね、結果4月一杯まで公開された。名古屋城の金鯱が、驚きを以て注目の的となっていた様子もうかがえ、評判のほどが知れる|図1|。博覧会は本来期限が決められるもので、終了後は展示資料自体ももとに戻るはずなのだが、大好評というその実績もあり、翌5月から"1と6の付く日"に一般公開、つまり"常設展示"することとなった。まさにMuseumの体裁を整えたというわけだ。

ということで、日本の博物館は、博物館そのものから始まったのではなく、博覧会から始まったと言えるのである。さらに言うと、その博覧会も、翌1873年のウィーン万博のために準備されたものであったのだから、まさに偶然の産物と言えるのであり、博覧会(ウィーンまたは湯島聖堂)なしに生まれ得なかったのが、1872年誕生の博物館だったということになる。

ところで、そもそも日本人が博物館というシステム(装置)を、どのように認識、理解、吸収し、つくっていくことになったのだろうか。

日本人が欧米の博物館に初めて触れたのは、これも偶然だった。18世紀末、漂流民が帝政ロシアの博物館を見聞している。大黒屋光太夫や、津太夫による見聞である。しかし、それは見てきたという事実が残されただけであって、勢い日本の博物館づくりに至ったということなど一切ない。

その後、日本人がようやく「博物館」を認識していくのは、幕末から明治維新にかけての欧米への使節団による。1860年(万延元年)、まず遣米使節団が博物館を見聞する。そこで名村五八郎元度が『亜行日記』に日本人として初めて「博物館」の言葉を記したという、記念すべき事実がそこにある|図2|。特許局の展示施設を以て、博物館と認識するのである。1860年(万延元年)や1862年(文久2年)の使節団に伴った福沢諭吉は、1866年(慶応2年)の『西洋事情』初編で「博物館」と「博覧会」という双方の項目を設け、それらの言葉の普及に一役買っている。

と言っても、それで日本人が博物館づくりに傾倒していったとは必ずしも言えない。紆余曲折を経ながらも、結果として1872年の博覧会が、日本の博物館の創始ということになっただけのことなのである。

では、もし湯島聖堂博覧会が開催されなかったとして、日本で博覧会を契機としない博物館はいつ頃つくられることになったのだろうか、または、つくられることはなかったのか。

結論から言えば、つくられなかったとは言えないだろうと、少なくとも断言できよう。

例えば日本で博物館をつくろうとする動きの一つを、町田久成による太政官に対する集古館設立の建言に見ることができる。古器旧物の保護を訴えその施設を建言したのであり、それは1871年(明治4年)のことだったのだが、それで勢い達成されることはなかった。さらに言うと博覧会終了間際には、「博物局博物園博物館書籍館建設之案」を博物局が発出するなどの動きもあった。かたや田中芳男は、1870年(明治3年)に大阪舎密局に配置された折、そこにパリで見たジャルダ

1

2

ン・デ・プラントと同様な施設づくりを目指すのだが、結果としてそれを叶えることなく東京に戻っている。いくつかのMuseumづくりの機会は反故にされることとなってしまったのだ。

　また、1871–1873年（明治4–6年）の岩倉使節団でも、欧米で数多くの博物館施設を見聞している。Exposition（ウィーン万博）も見たが、Museumも多々見ることで、その違いを理解したのだ。Museumを理解した識者は多々存在し、そのMuseumづくりはいずれ達せられたのだろう。

　さて、日本初の博物館誕生は1872年の博覧会に求めることになるのだが、美術館誕生も博覧会に見ることができる。1877年（明治10年）の第1回内国勧業博覧会では、日本で初めて美術館の名の施設が誕生する。また、1881年（明治14年）の第2回内国勧業博覧会でも美術館がつくられ

る｜図3｜。ジョサイア・コンドル設計になる施設である。そしてそれが翌年、湯島聖堂からの流れをくむ内務省の山下門内博物館から移管、移転開館する農商務省の博物館の本館となり、後の帝室博物館本館として使用される｜図4｜。ここにも博覧会から博物館へという図式が見られるわけである。

　まさに日本の博物館の歴史の中で、博覧会を契機に博物館施設へと変貌、または博覧会が博物館（美術館）登場の場となるのであって、日本の博物館のごく初期は、博覧会あってのものだったということになるのである。

［やまもとてつや｜新潟県立歴史博物館］

註1　東京国立博物館Webサイト「東博について–館の歴史–
1. 湯島聖堂博覧会」https://www.tnm.jp/modules/r_free_page/index.php?id=144（2020年4月20日検索）

3

4

図1　湯島聖堂博覧会錦絵「元昌平坂博覧会」
図2　『亜行日記』「博物館」の記述
図3　第2回内国勧業博覧会錦絵「第二回上野博覧会之図」
図4　帝室博物館本館（絵葉書より）

世界を魅了した日本の美術工芸

政府は海外の博覧会に参画するうえで輸出拡大を主な目的としたが、結果として優れた日本文化を世界に知らしめることに成功した。

美しく、繊細で、高度な技術に裏づけられた日本の美術工芸品は、熱狂的な支持を得てヨーロッパやアメリカの人々に受け入れられ、アール・ヌーボーなど新たなデザインの潮流を生むきっかけにもなった。香蘭社や川島織物など、博覧会をきっかけとして海外に販路を拡大し、飛躍した企業も多くあった。

中でも、欧米人の嗜好に合わせて、意匠を工夫した陶磁器は注目された。たとえば横浜で開窯した初代宮川香山の陶磁器作品は、超絶技巧と称され人気を博した。また長崎県の産品では、平戸・三川内焼や鼈甲商品が積極的に出品された。

1904

川島織物と博覧会
セントルイス万国博覧会「若冲の間」

日本式室内装飾の様式を確立しようとした二代川島甚兵衞は 1904年のセントルイス万博で「若冲の間」と「網代の間」を出展し、「若冲の間」は高く評価され金賞を受賞した。伊藤若冲の代表作の一つである全30幅からなる「動植綵絵」のうち15幅が綴織で織り込まれ、そのうち10幅が「若冲の間」の壁面を飾った。出展された作品の試織が残されている。

1-97

1-98

1-99

1-100

1-101

1905

川島織物と博覧会
リエージュ万国博覧会「百花百鳥の間」

1905年、ベルギーで開催されたリエージュ万博では、菊池芳文の原画による「百花百鳥の間」を構想し、壁面を飾る綴織などを出品した。四方の壁と天井部は、日本の四季を代表する文字通り百種の植物と鳥が綴織や刺繍で華やかに表現された。博覧会終了後、壁面の綴織は宮内省によって買い上げられた。

1-102

1-103

1-104

1-102　　　室内装飾 透視図｜菊池芳文
　　　　　1904年（明治37年）頃｜川島織物文化館

1-103　　　天井刺繍原画 群鳥（アトリとゴイサギ）｜菊池芳文
　　　　　1903年（明治36年）｜川島織物文化館

1-104　　　天井刺繍原画 群鳥（アオゲラ）｜菊池芳文
　　　　　1903年（明治36年）｜川島織物文化館

1-105　　　室内装飾 天井張 原画 群鳥｜山田耕雲
　　　　　1903年（明治36年）｜川島織物文化館

1-106　　　表彰状（大賞）｜--
　　　　　1905年（明治38年）｜川島織物文化館

1-106

香蘭社と博覧会

江戸時代より有田焼は長崎の出島を通じてヨーロッパにもたらされていたが、明治になると、欧米人に好まれる輸出向けの商品に力が入れられ、海外の博覧会にも積極的に出展していった。その代表的企業が1875年(明治8年)、深川栄左衛門らによって作られた合本組織香蘭社だった。香蘭社には博覧会出品のための図案も残されている。

1-107

1-108

1-109

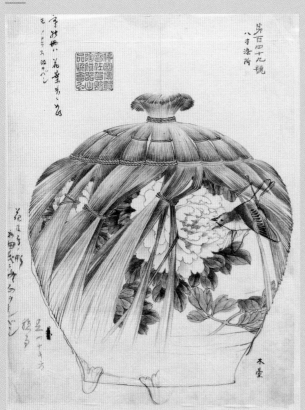

1-110

1-111

宮川香山と真葛焼

京焼の家に生まれた宮川香山は岡山藩で虫明焼の指導に当たった後、薩摩焼の輸出のために横浜に移り1871年(明治4年)に真葛窯を開く。香山の作品は国内外の博覧会に出品され、特に海外で人気を博した。高浮彫を特徴とする明治初期の作品から明治後期の釉下彩による作品まで、その作風の幅は広く技術の高さを示している。

1-112

1-113
1-114

1-117

1-115

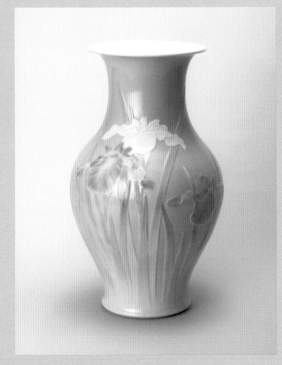

1-116

博覧会に出品された長崎の工芸｜平戸・三川内焼

平戸藩の御用窯として発展した平戸・三川内焼も国内外の博覧会に積極的に出品された工芸品の一つだった。卵殻手と呼ばれる透けるほど薄い磁器や「置き上げ」や「透かし彫り」などの高度な技法が欧米人にも高く評価された。

1-118　色絵六歌仙文受皿付蓋碗｜平戸・三川内焼（田中）
明治初期｜長崎歴史文化博物館

1-119　色絵人物文コーヒーセット｜平戸・三川内焼（今村）
明治時代｜長崎歴史文化博物館

1-120　染付菊文透彫香炉｜平戸・三川内焼（口石大八郎）
明治時代頃｜長崎歴史文化博物館

1-121　瑠璃錆釉猿形舌出人形｜平戸・三川内焼
大正時代｜長崎歴史文化博物館

1-122　染付鳳凰唐草文龍耳広口瓶｜平戸・三川内焼（豊嶋政治）
明治時代｜長崎歴史文化博物館

1-118

1-121

1-119

1-120

1-122

博覧会に出品された長崎の工芸｜鼈甲細工

江戸時代から続く長崎の伝統工芸で、玳瑁の甲羅を加工して作られる鼈甲細工も国内外の博覧会に積極的に出品された。当時の作品はほとんど残っていないが、江崎栄造や二枝貞治郎が出品した記録や受賞の記録が残されている。

1-123　シカゴ万博受賞メダル｜-- 1893年（明治26年）｜江崎べっ甲	1-127　パリ万博受賞メダル｜-- 1900年（明治33年）｜江崎べっ甲
1-124　セントルイス万博受賞メダル（Grand Prize）｜-- 1904年（明治37年）｜江崎べっ甲	1-128　1915年サンフランシスコ万博 最高賞受賞作品 「岩上の鷹」｜六代江崎栄造｜1915年（大正4年）
1-125　フィラデルフィア万国博覧会受賞メダル｜-- 1926年（大正15年）｜江崎べっ甲	江崎べっ甲（画像転載：『長崎べっ甲』日本べっ甲協会 2013年）
1-126　アールデコ博受賞メダル｜-- 1925年（大正14年）｜江崎べっ甲	1-129　日英博覧会銀牌表彰状｜-- 1910年（明治43年）｜二枝べっ甲

1-124

1-123

1-125

1-126

1-127

1-128　　　　1-129

　世界を魅了した日本の工芸

1862年（文久2年）に開催された第2回ロンドン万国博覧会は、日本人が国際舞台に姿を現した初めての博覧会となった。竹内下野守保徳を正使とする文久遣欧使節団が派遣され、同博覧会の開会式に正式に招待されたのだった。彼らの風貌やそのいでたちは西洋の人々にとっては見たことのない珍しいもので驚きと好奇の目を持って迎えられた。

彼らを国際舞台にデビューさせた陰の立役者がイギリスの初代駐日公使ラザフォード・オールコックである。博覧会で初めて日本の展示が行われたが、これをまとめたのもオールコックで、彼が収集した日本の工芸品を中心に600点以上の品々が展示された｜図1｜。これが大きな評判を呼び、ジャポニズムを巻き起こすきっかけともなった。

明治に入り、新政府は博覧会を殖産興業と近代国家建設のために欠かせない手段として位置づけ、積極的に海外の博覧会に参加し、国内においても内国勧業博覧会を開催するようになる。1873年（明治6年）のウィーン万国博覧会は、日本国として正式に参加する初めての博覧会となった。

ウィーン万博の顧問となったお雇い外国人のアレクサンダー・フォン・シーボルトとゴットフリード・ワグネルは日本の出品物の選定に大きな影響を与えた。シーボルトは西洋の人々を驚かせるには巨大なものがふさわしいとし、名古屋城の金鯱と鎌倉大仏の張りぼてを出品することになった。ワグネルは、未熟な工業製品ではなく、精巧な工芸品を

1

出品すべきと提案し、その方針が取り入れられた。

博覧会はそもそも欧米諸国が自国の近代文明と産業技術のすばらしさを披露し競い合う性格のものであったが、やっと近代国家の仲間入りをしたばかりの日本にとって産業技術で張り合うことは得策ではないことは誰の目から見ても明らかであった。博覧会では農産物や鉱物、動植物の標本など多岐にわたって様々なものが出品されたが、陶磁器をはじめとする日本の工芸品は常に重要な出品物として位置づけられた。

ちなみに「工芸」という言葉は「美術」とともに明治になってから区別されつくられた言葉であった。生活に寄り添う形で作られ使われていた「工芸品」は、「手細工の小器品に過ぎず」とむしろ西洋文明を信奉する明治の人々からは低く見られていたところがある。西洋人の高い評価を得たことによって日本の「工芸品」の価値が高められ、それを日本人も再認識することになった。

江戸時代までつくられていた工芸品は日本人の趣味嗜好に合わせたものだったので、そのままでは西洋の人々を満足させることはできなかった。そこで西洋人の趣味嗜好に合ったデザインの改良に努める必要があった。米国博覧会事務局員となった納富介次郎は、工芸品の図案集を作り、それらを出品人に配布することによって、改良された作品を製作することができると考えた。そうしてできた図案集が『温知図録』として残されている。

一方、横浜で陶磁器の生産を行っていた初代宮川香山は、西洋人の好みに合わせた超絶技巧の作品を次々に生み出し、海外の博覧会にも積極的に出品し、高い評価を受けた｜図2｜。真葛焼と呼ばれるそれらの作品の多くは輸出陶磁器としてヨーロッパやアメリカの人々の手に渡り、今も彼の地に残っているものが多い。1900年のパリ万博の頃、アールヌーボー様式が隆盛を極めると、それに合わせたデザインに作風ががらりと変わる。時代や人々の好みに合わせて変幻自在に作風を変える宮川香山の高い技術力が窺える。

江戸時代までの輸出陶磁器といえば、肥前の国（現佐賀県）の有田・伊万里焼がよく知られているが、その地に海外向け商品の生産に対応するための陶磁器製造販売会社である合本組織香蘭社が明治8年（1875年）に誕生した。香蘭社の設立は岩倉使節団の一員としてウィーン万博を視察し、有田の陶磁器の改善が必要であると考えた佐賀藩出身の久米邦武の働きかけによるものであった。翌年の1876年（明治9年）に開かれるフィラデルフィア万博への出品に向けて、有田の有力窯元が大同団結して取り組むことになった。フィラデルフィア万博の日本展示では香蘭社の商品が大量に並べられた。同博覧会で香蘭社は名誉大賞を受賞している。その後も、1878年のパリ万博、1879年のシドニー万博、1880年のメルボルン万博、1888年のバルセロナ万博、1889年のパリ万博、1893年のシカゴ万博、1900年のパリ万博など、ほぼすべての博覧会に出品し、賞牌を受賞している。前述の図案集『温知図録』にも香蘭社に発注された作品が数多く含まれている。香蘭社設立から4年後に香蘭合名会社と製磁会社に分かれ、さらに香蘭合名会社から深川製磁が独立するなど、会社組織は変遷していくが、一貫して博覧会と深い関係を持ち続けたことは確かであ

る。別の言い方をすれば、博覧会が企業の発展に大きく寄与したといえる。

工芸品は博覧会が契機となり、世界に日本を知らしめ高い評価を受けた主力商品であり続けた。数百年にわたって国内で培われてきた伝統技術の基盤があってこその評価であったといえるだろう。

［たけうちゆり］

参考文献
- 佐野真由子著『オールコックの江戸』中公新書 2003年
- 鈴木健夫／P・スノードン／G・ツォーベル著『ヨーロッパ人の見た久米使節団』早稲田大学出版部 2005年
- 鈴田由紀夫監修『明治有田超絶の美』世界文化社 2015年
- 『ふでばこ 特集万国博覧会』33号 白鳳堂 2016年
- 山田雄久著 香蘭社社史編纂委員会編『香蘭社130年史』香蘭社社史編纂委員会 2008年
- 二階堂充著 横浜美術館学芸部編集『宮川香山と横浜真葛焼』有隣堂 2001年

図1　1862年の第2回ロンドン万博での日本展示
(*Illustrated London News 1862*)（神奈川県立歴史博物館提供）

図2　初代宮川香山作「褐釉蟹貼付台付鉢」第二回内国勧業博覧会出品物写真帖（尼崎市立歴史博物館蔵）

図3　フィラデルフィア万博表彰状（香蘭社提供）

図4　株式会社香蘭社本店（佐賀県西松浦郡有田町）

2

3

4

第2章
大衆社会に広がる
博覧会
1912–1945

日本は日清戦争、日露戦争での勝利を経て、台湾や樺太を統治下におき、さらに朝鮮を併合するなど、国土を拡大し帝国主義の道を歩んでいった。国内においては、大正天皇の即位1915年（大正4年）や昭和天皇の即位1928年（昭和3年）などを契機に御大典の祝賀ムードが広がり、それらを記念した博覧会が各地で開催されるようになった。特に1928年（昭和3年）は日本の博覧会史上最も多くの博覧会が開かれた年となった。

────

鉄道や電気が普及し、近代的な生活スタイルの流行と相まって、博覧会は都市の娯楽文化として人々のくらしの中に浸透していった。博覧会の主催者も地方自治体だけでなく、鉄道会社や新聞社へと広がりを見せるようになった。しかし、戦争の足音が近づくにつれ、博覧会も戦意高揚や国防を前面に打ち出したものへと変化していった。

After winning the Sino-Japanese War and the Russo-Japanese War, Japan expanded its territory and pursued an imperialist path, placing Taiwan and Sakhalin under its rule, and annexing the Korean Peninsula. A festive mood was reigning within Japan after the enthronement of Emperor Taishō in 1915 and that of Emperor Shōwa in 1928, and commemorative expositions were held throughout the country. 1928, in particular, became the year with the highest number of expositions organized in Japanese history.

────

With the spread of railroads and electricity, and the popularization of modern lifestyles, expositions, now an integral part of urban entertainment culture, began to pervade people's lives. Not only local governments, but railway and newspaper companies were organising them. However, as war drew near, expositions started to assume an overtly propagandistic tone.

近代的ライフスタイルへのあこがれ

東京大正博覧会

1907年（明治40年）の東京勧業博覧会の成功を受け、大正天皇の即位奉祝を記念した東京大正博覧会が1914年（大正3年）に東京府により開かれた。会場は上野公園を第1会場、不忍池を第2会場、芝浦と青山を分会場に行われた。青山では陸軍の飛行機、芝浦では海軍の飛行機が展示され、第2会場には朝鮮、台湾、満州、樺太などの特設館が建てられた。巨大な軍艦三笠の造り物や美人島探検館が呼び物となり、エスカレーターが日本で初めてお目見えした。

博覧会は、大衆社会における都市的な娯楽の機会と認識されるようになった。

大正天皇と昭和天皇の即位を記念した御大典ムードと相まって昭和初期には各地で地方博覧会が開催されるようになる。

博覧会のテーマも電気や鉄道にスポットを当てたものや、生活改善や教育を目的とした婦人・子供をテーマにしたものが多く見られるようになった。

日本社会が大量消費、大量生産の時代へと変化していく中で新しい近代的生活を象徴する電化製品や鉄道が人々の生活の中にも浸透していき、近代的なライフスタイルに人々は憧れを抱くようになった。

モダンガールやモダンボーイが闊歩していた大正から昭和初期にかけて西洋文化の影響を受けた

2-01

「東京大正博覧会乗物と南洋土人の喰人種」
田中良三、尚美堂｜1914年（大正3年）
日本初のエスカレーターと不忍池に設けられたケーブルカー
など科学技術の進歩を示す乗り物とともに、特設館で展示
された南洋の人々が描かれている。当時の日本の植民地
思想が表れている。*現代においては差別的と見られる表現があるが、
当時の時代背景と資料的意義を考慮し、そのまま掲載した。

東京大正博覧会 絵葉書｜青雲堂｜1914年（大正3年）
日本で初めて登場した第1会場と第2会場をつなぐエスカ
レーター。

第2章｜大衆社会に広がる博覧会 1912-1945

平和記念東京博覧会

大正デモクラシーを謳歌していた頃、平和を祝福しようと1922年（大正11年）上野公園を会場に平和記念東京博覧会が開かれた。第1会場には平和館、染織館、衛生館、美術館、農業館、電気館などが建てられ、朝鮮、台湾、樺太、南洋統治の展示も行われた。近代的生活様式を紹介する十数棟からなる住宅展示も行われ、この博覧会から「文化住宅」という言葉が生まれた。

2-03

2-04

1926 電気大博覧会

市電築港線間の20万平方メートルの埋立地を会場に、社団法人電気協会関西支部の主催に
より開催された。全地帯を区切るように運河が張り巡らされた。第1会場本館前には、電気を
象徴するフランクリンの像が立つ大噴水と、本館、実験館、電力館、動力館、交通館、家庭電化
館、保健衛生館など大小150余の展示館が建てられた。第2会場だった天王寺公園内の勧業
館では、電気関係の展示即売が行われた。

2-05

2-06

電気をテーマにした博覧会が民間と行政主催により開かれた。1926年（大正15年）には社団法人電気協会関西支部主催により電気大博覧会が、1928年（昭和3年）には大阪市主催により大礼奉祝交通電気博覧会が、ともに天王寺公園を会場に行われた。工業や農業の電化、交通の電化などにとどまらず、照明器具をはじめとする電化製品を使用することで、人々の日々の生活が豊かになることがさまざまな展示を通じて紹介された。

2-07

第2章　大衆社会に広がる博覧会 1912-1945

大礼奉祝交通電気博覧会

昭和天皇の即位と大阪市電気軌道20周年、電灯経営5周年を記念し、大阪市主催により開催された。会場となった天王寺公園には本館の勧業館のほか、発電館、電力館、世界一周館、電気廉売館が設けられた。第二会場の大阪市民博物館には大礼参考館、無線館、通信館、電気衛生館が設けられた。

2-08

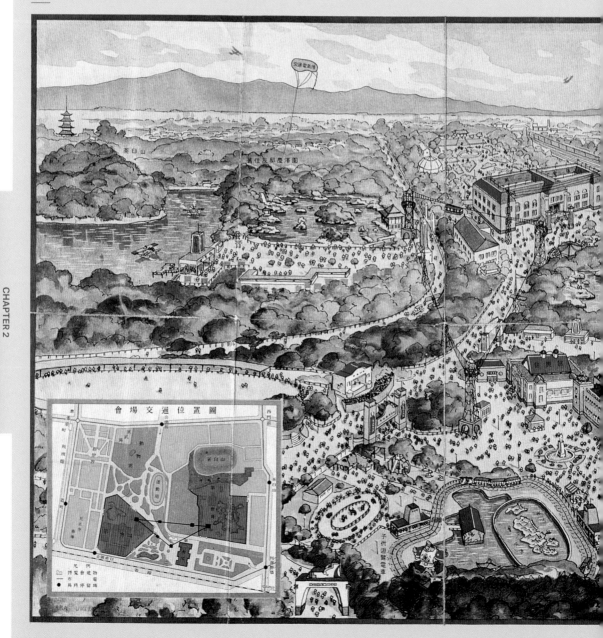

2-9

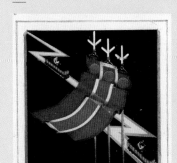

2-10

2-11

天皇即位を奉祝する博覧会｜大礼記念京都大博覧会

第四回内国勧業博覧会の跡地である洛東の岡崎公園は、さまざまな博覧会の主会場となった。1915年（大正4年）、大正天皇即位を奉祝する大典記念京都博覧会に続き、1928年（昭和3年）には京都市の主催によって昭和天皇の即位を祝う大礼記念京都大博覧会が開かれた。この時は岡崎公園に加えて、二条城北の京都刑務所跡地、恩賜京都博物館（現・京都国立博物館）が会場となった。各府県の出展のほか、台湾、満州、朝鮮、南洋、樺太などの特設館、発明館、電気館、機械館などが設けられた。

2-12

2-16

2-13

2-14

2-15

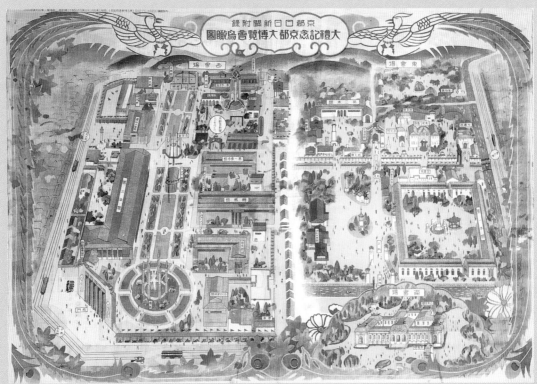

子供を
主題とする
博覧会

皇孫御誕生の記念館を中心に、子供の教育や玩具、文具などの展示のほか、三越、白木屋、松屋、松阪屋、高島屋の五大百貨店が出店する「きもの館」も設けられた。

翌1926年（大正15年）には、皇孫御誕生を祝う祝賀行事が各地で開かれた。東京日日新聞社と大阪毎日新聞社は、東京と京都で皇孫御誕生こども博覧会を開催する。

1925年（大正14年）12月、大正天皇の初孫である照宮成子内親王殿下の御誕生は、関東大震災以来、社会を覆っていた沈鬱なムードに光を照らす明るいニュースとなった。

1926　皇孫御誕生記念こども博覧会

2-17　　　皇孫御誕生記念こども博覧会 絵葉書｜--｜1926年（大正15年）

2-17

2-17

2-17

万国婦人子供博覧会

2-18	万国婦人子供博覧会 絵葉書	--	1933年(昭和8年)
2-19	『萬国コドモ博覧会』(『幼年倶楽部』第8巻第5号5月号付録)	大日本雄社講談社	1933年(昭和8年)

2-18

2-19

下殿孫皇
宮 照

観光をテーマにした博覧会｜国際産業観光博覧会

アメリカに端を発した世界恐慌の影響は日本にも及び、1930年（昭和5年）から1931年（昭和6年）にかけて昭和恐慌と呼ばれる経済危機に直面した。この状況を打破すべく、産業振興や観光振興を目的にした博覧会が全国各地で開催された。1934年（昭和9年）に行われた長崎市主催による国際産業観光博覧会もその一つであった。第一会場となった中之島埋立地には、産業貿易館をはじめ、満州国や朝鮮、台湾などの特設館やラジオ館、テレビジョン館、国防館などが建てられた。1934年（昭和9年）に日本初の国立公園の一つに指定された雲仙に第二会場が確保された。両会場を結んで県営バスが運行され、また遊覧飛行も行われた。

2-20

2-23

2-21

2-22
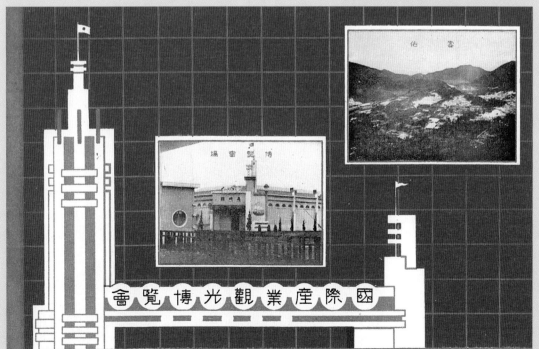

輝く日本大博覧会

1936年(昭和11年)、兵庫県西宮市の浜甲子園を会場に、大阪毎日新聞社と東京日日新聞社主催により開かれた。メインの展示館の一つである国産館には、前年に輸出総額26億円を突破し躍進を示した日本の産業製品が陳列された。汎太平洋館には、アメリカ、ソ連、カナダ、フィリピン、南支那などの展示が展開された。そのほか、機械館、満州館、文化館、皇軍館など、モダニズムの意匠でデザインされた展示館が立ち並んだ。皇軍館には陸海軍共同作戦の戦場場面を再現した迫力ある大パノラマも造られた。余興としてアメリカのグランドサーカスによるショーやフラダンスの披露も行われた。

2-24

2-27

2-25

2-26

日本万国博覧会への布石｜名古屋汎太平洋平和博覧会

1937年（昭和12年）、市の人口が100万人を突破したことを祝い、また名古屋港開港30周年を記念するべく、名古屋市は大規模な博覧会を実施した。名古屋臨港地帯につくられた49万平米の会場には、国内の特設館14館のほか、満州、中華民国、オランダ領インドネシア、ペルシャ、シャム、中南米などの特設館が建てられた。西会場の国防航空館では、日本の威力を誇示し、国民の戦意高揚をはかる展示が行われた。太平洋地域の平和と発展に寄与することを目的に掲げ、3年後に予定されたアジア初の万国博覧会（紀元二千六百年記念日本万国博覧会）に向けた布石と位置づけられた博覧会であった。

2-28

2-29

2-30

2-31

2-32

1│博覧会と余興

博覧会場は、近代的な遊園地の原型となる。殖産勧業を主な目的とした明治時代の博覧会にあっても、来場者を楽しませるべく、さまざまな余興が用意された。

たとえば明治36年、大阪で開催された第五回内国勧業博覧会は、明治期にあって規模・内容ともにもっとも充実したイベントとして知られている。この時には会場の内外に、さまざまな遊戯機械やファンハウスが余興として開設され、新しい娯楽として提供された。

会場では、茶臼山の斜面を利用して設けられた高さ約12メートルの台上から、池へ向けて疾駆する日本初のウォーターシュート「飛艇戯」が話題となった│図1│。

また神戸のワヰンベルギル商会は、日本初となる回転木馬「快回機」を出展した。4頭だての馬車を先頭に2列40頭の木馬が連なるドイツ製の遊戯機械である。料金は一人5銭であった。図版の絵葉書は、第五回内国勧業博覧会の記載はないが、博覧会の余興と説明されていることから、おそらくこの時の事例を撮影したものと思われる│図2│。

1

2

アトラクションでは、「電気光線応用大舞踏」と題して米国女優の幻想的な舞踏を観覧するフ「不思議館」や、曲馬団の実演が話題になった。また冷蔵装置を紹介しつつ氷の美術作品などを見せる「冷蔵庫」も人気を集めた。

第五回内国勧業博覧会にあって主な展示館の施工を請け負った大林組は「大林高塔」を出展、会場全体はもとより、はるかに市街地までの眺望を展望台から楽しむことができた。さらに会場外には、神戸港から出発する世界旅行を見せる趣向のジオラマ館「世界一周館」もあった。

観覧車も博覧会から普及した。明治39年、日露戦勝を記念する大阪戦捷記念博覧会が開催される。会場となった天王寺公園の一画に「展望旋回車」あるいは「架空旋回車」と呼ばれた観覧車が装置された。蒸気機関で駆動、楽団の演奏にあわせて、6人乗りのキャビンを14台吊りさげた観覧車が、5分を費やして一周する趣向であった。観客は酒を飲んだりしながら、上空からの眺望を楽しんだ│図3│。

明治40年の春、上野公園で開幕した東京勧業博覧会では、2基の観覧車が競い合った。不忍池畔の第二会場に装置された「空中回転車」は、蛇の目のように配置された紅白の電飾が売り物であった。いっぽう博物館前、竹の台に設置された「空中観覧車」は高さ21m、同様に支柱などに高燭光の電球を装置し、イルミネーションを点して夜間開場の見物客に美観を提供した│図4│。

2│博覧会と遊園地

明治から大正時代になると、国内各地で開催される博覧会は、勧業の場から消費生活や生活様式を提示する楽しみの場へと、その性格を改める。これを受けて、会場内に子供向けの遊具を集める遊園地や、家族連れの来場を促進するアミューズメントエリアが併設されることが増える。博覧会で仮設された娯楽施設や余興街が、わ

が国における遊園地の原型のひとつになる。

たとえば大正15年、電化生活の豊かさを宣伝するべく、大阪で開催された「電気大博覧会」では、5万坪に及ぶ会場のうち、半分ほどの敷地が娯楽の場に充てられた。具体的には、各種の浴槽をそなえた「港温泉」、矢野サーカスや有田洋行など仮設小屋での曲技の興行を中心とする「余興街」、そして高塔摩天閣・富士山模型・水力発電所模型・アルプス模型・台湾舞踏館などが配された「遊園地」が設けられた。世界漫遊パノラマトンネル・お伽の国トンネルなどを順に走る「子供電車」が話題となった。

同じ大正15年、大阪毎日新聞社が岡崎公園で実施した「皇孫御誕生記念こども博覧会」では、疎水に面した空き地に大きな日除けを装置、「子供遊園」と称する区画が確保され、シーソーや自転車が用意された。そのほかにも「砂場」や乗馬体験ができる「こども馬場」、木煉瓦で工作を楽しむことができるスペースもあった。さらにガソリンエンジンで動く豆機関車が牽引する五両連結の「こども汽車」の運行もあった。大人の乗車は禁じられ、車掌役・駅員役も公募で選ばれた子供が務めていた。

昭和5年、神戸の湊川公園などで開催された「観艦式記念海港博覧会」では、シーソー、滑り台やブランコなどの遊具、射的場、メリーゴーラウンドなどの遊戯機械を置く「子供の国」が設置された。

加えて内外の興行を連日、披露するアミューズメントエリア「萬国街」が用意された。「怪力婦人」と題するショーでは、「世界で最も力の強い美女」というふれこみのアンネタ・ブーンが、銅貨や鉄鎖を指でねじ切り、鉄の角棒を飴のように曲げて腕にまきつけるところを見せた。「破天荒の人気」となったのが、ドイツ人カール・ライトネルによる「人間大砲」である。人が実際に砲筒のなかに入り、勢いをつけて空中に飛び出し、遠くに張ったネットまで飛躍するという命がけのアクロバットである｜図5｜。

「観艦式記念海港博覧会」では、「グリコ」の文字を側面に記した飛行塔のゴンドラが、イベント会場の空を旋回した。いっぽう昭和4年、広島市が主催した「昭和産業博覧会」では、森永キャラメルの飛行塔が人気を集めた。家族連れで賑わう博覧会場内の遊園地は、協賛企業が広告を競う好機でもあった｜図6｜。

［はしづめしんや］

3

4
5

6

図1	第五回内国勧業博覧会のウオーターシュート
	（橋爪紳也コレクション）
図2	博覧会の余興として開設されたメリーゴーラウンド
	（橋爪紳也コレクション）
図3	戦捷博覧会の絵葉書（橋爪紳也コレクション）
図4	東京勧業博覧会の絵葉書（橋爪紳也コレクション）
図5	昭和5年（1930年）観艦式記念海港博覧会絵葉書
	「人間大砲」
図6	昭和産業博覧会の飛行塔（橋爪紳也コレクション）

博覧会と百貨店

1│博覧会と百貨店

　博覧会と百貨店のつながりは深い。百貨店の前身である呉服店は、早くから内外の博覧会に出品を行なっている。

　たとえば髙島屋の場合、1877年（明治10年）の第6回以降、京都博覧会に継続的に美術染織品を出展している。いっぽう政府主催の内国勧業博覧会には、東京上野公園を会場とした1881年（明治14年）の第二回から、大阪で開催された1903年（明治36年）の第五回まで連続して出品している。またロンドンやパリなど、海外の博覧会にも積極的に優れた商品を出展し受賞を重ねた。ここでは汽車博覧会│図1│や日英博覧会│図2│の出展の様子を紹介しておきたい。百貨店は内外の博覧会を舞台に、そのブランド力を増し、事業を拡大した。

　いっぽう博覧会と百貨店をつなぐ存在とし

1
　京都第六回博覧会出品見本店　汽車博覧会紀念絵葉書

2
　たかしや大阪支店開催婦人裁縫会

3
　東京開催髙島屋呉服店川村平和博覧会出品図案懸賞絵葉書

て、勧工場の存在がある。1877年（明治10年）、東京上野で挙行された第一回内国勧業博覧会の翌年、博覧会の残品を処分するために勧工場が開設された。ここでは従来、呉服店などが採用していた座売り形式ではなく、商品を陳列のうえ即売する販売方式が採用された。

　わが国にあっては、呉服店が百貨店へと業態を改めるなかで、博覧会に由来する勧工場の陳列販売方式が導入された。人々は、分野ごとに区分された売り場を巡り、ケースに陳列されたさまざまな商品を眺め、比較しながら歩くことに楽しみを見出した。百貨店が提案したウインドショッピングという新たな消費のスタイルは、博覧会にその原型がある。

　大正時代から昭和戦前期にかけて、博覧会と百貨店の関係性は深まる。消費社会の進展を受けて、「貿易」「観光」「住宅販売」などさまざまな主題を掲げる博覧会が開催されるなか、百貨店が協賛や出展、さらには共催する事例がでてくる│図3│。例えば1925年（大正14年）に、大阪毎日新聞社が主催した「大大阪博覧会」では、市内の主要な百貨店が店内に別会場となる展示ブースを設けて、それぞれにテーマ性を持った特別な陳列を行ない注目された。

　いっぽう百貨店内で行われる物産展や美術展、展示会などの催事を、「博覧会」と称することも一般化する。たとえば髙島屋の事例では、「日光博覧会」、「豊太閤博覧会」│図4,5│、「キモノ博覧会」などのように、歴史文化や新たな流行の伝搬を目的とする多彩なイベントが開催された。また戦時下においては軍事啓蒙の色濃い「博覧会」も店内で催されるようになった。

2│大阪万博と百貨店

　戦後の博覧会にあっても、百貨店は重要な役割をになった。ここでは1970年大阪万博における髙島屋の事例を紹介したい。当時の髙島屋の

社内報に「万国博と百貨店 −モントリオール博を見て−」と題した、高島屋設計部部長樋口治の興味深い記述がある。大阪万博の準備を始めるべく、1967年に開催されたモントリオール万国博の視察に出向いた樋口は、そこで国際博覧会に百貨店がどういうかたちで協力できるかを分析している。

彼は直接的に3つの状態が予想されると述べている。第一に博覧会の趣旨に賛同したパビリオンの出展、第二に食堂・土産物売場などの営業出店、そして第三に展示館などの建設、内装や展示に関する工事の受注である。

実際、高島屋は大阪万博において、樋口が指摘した三つの参画を全て実現させている。第一にパビリオンの出展協力として、32社からなるみどり会の一員として、「みどり館」 図6 に共同出展を行った。加えて日本生命社長が館長を務めた「日本民芸館」に、関西の有名百貨店とその他17社とともに出展協力を行った。

営業出店としては、「みどり館」の敷地に設けられた200席収容の「ローズスナック」という軽食喫茶の運営がある。詳細を記す資料は残っていないが、スナックスタンドがあり、美味しい軽食がサービスされた。加えてショーの上演もあったようだ。

またパビリオンの設計・施工では、ソ連館やビルマ館の造作や家具、みどり館の貴賓室ロビー、エキスポクラブバーの家具、みどり館に隣接してそびえ立つ古河グループ館の屋根瓦、迎賓館レセプションホールの造作などを請け負っている。高島屋装飾部の伝統を継承した仕事である。

大阪万博と高島屋の関わりで特筆すべきものに、水上ステージで開催された「ピエール・カルダンショー」がある。高島屋の大阪支店増築完成を機に、ピエール・カルダンの日本招聘が計画された。そこで関係各所と折衝の上、カルダンのファッションショーを万博会場内で実施することが実現した。カルダンが持参したオートクチュール65点を含む、カルダンの最新モード200余点がゴーゴーのリズムにのりながら発表された。岡田真澄、杉本エマをはじめ、フランスから来日した40人のモデルも参加した。このショーを通して高島屋は、カルダン商品を販売するファッション・リーダーである百貨店であることを広く宣伝することに成功した。

大阪万博にあって高島屋は、制服の制作も請け負っている。エスコートガイドの訓練用制服のほか、社団法人日本瓦斯協会が出店したガス・パビリオンのホステス（コンパニオン）たちのユニフォームも、高島屋が手がけたものだ。大きく描かれた二つの曲線が胸の部分で交差する大胆な意匠のワンピースは、「笑いの世界」というガス・パビリオンのテーマに沿って、高島屋に所属するデザイナーが手がけたものである。人が口を開けて笑っているイメージを表現したものとされている。

［はしづめしんや］

4

5

6

帝国の拡大と博覧会

日清・日露戦争での勝利を経て、日本は海外にも領土を広げた。博覧会にも外地や諸外国の物産を紹介する特設館が設けられるようになった。また台湾博覧会や満州博覧会、朝鮮博覧会など、外地でも博覧会が企画された。1930年代後半には、領土の拡大とともに軍国主義が社会を覆いはじめる。日中戦争が勃発し、戦争の足音が近づくにつれ、国内では戦意高揚や国防を前面に打ち出した博覧会が各地で行われるようになった。このような社会情勢のもと、皇紀二千六百年を奉祝するべく、東洋初となる万国博覧会開催の気運が高まる。準備が進められたが、第二次世界大戦が勃発する中で、延期を余儀なくされ、最終的に開催を断念。「幻の万博」となる。

1912　拓殖博覧会

日清戦争による台湾領有、日露戦争による樺太領有と租借地関東州の統治、朝鮮（韓国）併合と日本は国土を膨張させていった。さらに北海道の開拓も国の重要な政策の一つであった。そのような中で、新たに獲得した日本の領土に関する理解を深め、国民の殖民思想を喚起させようと企画されたのが、1912年（大正元年）に東京上野公園で開催された拓殖博覧会であった。北海道出品協会が主催、工業、林業、鉱産、水産、農産など、諸分野におよぶ生産品の陳列に加えて、北海道の進展ぶりを示す展示が展開された。加えて樺太アイヌや台湾の人々のくらしを見せる「人間展示」も行われた。当時のチラシには「殖民地の縮図」とある。翌年には大阪商工会主催により、大阪でも同じ呼称の博覧会が開かれた。

2-33　　　拓殖博覧会 チラシ｜--｜1912年（大正元年）

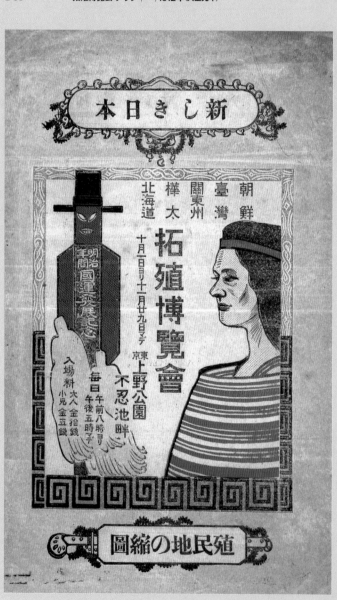

2-33

明治記念拓殖博覧会

2-34 　明治記念拓殖博覧会 絵葉書
　　　『各植民地人種集合の光景』│--│1913年（大正2年）

2-35 　明治記念拓殖博覧会 絵葉書
　　　「樺太アイヌ種族及住宅」│--│1913年（大正2年）

＊現代においては差別的と見られる表現があるが、当時の時代背景と資料的
意義を考慮し、そのまま掲載した。

2-34

GRANDCOLONIAL EXHIBITION AT TENNOJI PARK.　　各植民地人種集合の光景　明治記念拓殖博覧會

2-35

GRANDCOLONIAL EXHIBITION AT TENNOJI PARK.　　樺太アイヌ種族及住宅　明治記念拓殖博覧會

第2章｜大衆社会に広がる博覧会 1912-1945

朝鮮博覧会

外地での博覧会は、日本の「植民地」経営の実績を内外に誇示する意味合いも託されていた。

日本の統治下にあった韓国、満州、台湾においても、博覧会が行われた。

1929年（昭和4年）に京城（現・韓国ソウル市）の旧景福宮で行われた朝鮮総督府主催による朝鮮博覧会、1933年（昭和8年）に満州で行われた大連市主催による満州大博覧会、1935年（昭和10年）に台湾で行われた始政四十周年記念台湾博覧会などがある。それぞれ、日本の朝鮮統治から20年、台湾統治から40年、大連市制10年を記念して企画された。

2-36　朝鮮博覧会鳥瞰図｜--｜1929年（昭和4年）

2-36

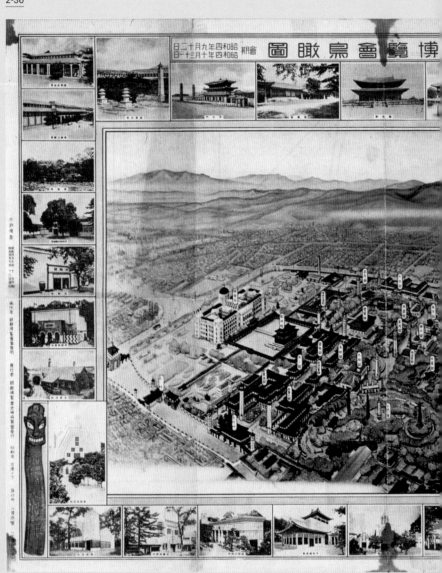

満洲大博覧会

2-38 満州大博覧会 絵葉書 ｜--｜1933年（昭和8年）　　　2-39 満州風物写真帖 ｜--｜1933年（昭和8年）

2-38

2-39

始政四十周年記念台湾博覧会

2-40 始政四十周年記念 台湾博覧会 絵葉書｜--
1935年（昭和10年）

2-41 始政四十周年記念博覧会御写真 第4集
山下写真館｜1935年（昭和10年）

2-40

2-41

支那事変聖戦博覧会

2-42	支那事変聖戦博覧会 パンフレット	2-44	『支那事変聖戦博覧会画報』
	--｜1938年（昭和13年）		週刊朝日臨時増刊｜朝日新聞社
2-43	『支那事変聖戦博覧会画報』		1938年（昭和13年）
	朝日新聞社｜1938年（昭和13年）		雑誌の表紙を飾る球場前につくられた
			実物大の北京の正陽門。
		2-45	『支那事変聖戦博覧会画報』第2集
			朝日新聞社｜1938年（昭和13年）

1937年（昭和12年）に盧溝橋事件が勃発、翌年には国家総動員法が制定され、日中戦争が始まる。1938年（昭和13年）、兵庫県の西宮球場及び外園で大阪朝日新聞社主催による支那事変聖戦博覧会が行われた。球場内には戦地を疑似的に体感させる戦場大パノラマがつくられた。外園は野戦陣地として防空壕や塹壕がつくられ、軍事演習も公開された。

さらに1939年（昭和14年）に西宮大運動場で開かれた大東亜建設博覧会では、武漢攻略の様子が大パノラマで再現された。

続く1941年（昭和16年）には西宮球場で国防科学大博覧会が、同じ年に新潟でも興亜国防大博覧会が開かれるなど、国防や戦意高揚を目的とした博覧会が各地で行われた。

2-42

2-43

2-46　支那事変聖戦博覧会 絵葉書
軍艦「出雲」（模型）より戦局パノラマを見物する
イタリア水兵｜--｜1938年（昭和13年）

2-47,48　国防科学大博覧会 パンフレット｜--
1941年（昭和16年）

2-44

2-45

2-47

2-48

2-46

幻の万国博覧会｜紀元二千六百年記念日本万国博覧会

神武天皇即位二千六百年にあたる1940年（昭和15年）に、その記念事業として万国博覧会が計画された。同じ年に東洋で初めてのオリンピックの開催も計画されていた。日本での万国博覧会の開催は明治時代からの悲願でもあり、ようやく実現に向けて動き始めた。会場は東京の月島埋立地（現・晴海）と横浜・山下公園のあわせて約160万平米の土地が充てられた。会場の中心となる建国記念館（恒久館）のほか、主要な施設の設計も進められ、約50ヶ国が出展する予定となっていた。博覧会のテーマソングが街に流れ、抽選券付き回数入場券が販売されるなど、気運も高まっていた。そんな最中、第二次世界大戦が勃発し、博覧会は延期を余儀なくされ、「幻の万博」となってしまった。

2-49

2-49   紀元二千六百年記念日本万国博覧会 絵葉書｜--
        1940年（昭和15年）

2-50   紀元二千六百年記念日本万国博覧会 入場券｜--
        1940年（昭和15年）

2-51   抽選券付き回数入場券
        社団法人日本萬國博覧会協会｜1938年（昭和13年）
        12枚綴りの抽選券付き入場券。開会まで5回の抽選を
        予定していたが1回目が終わったところで延期が決まった。
        1970年の日本万国博覧会（大阪万博）でも入場券として使
        われた。

2-50

2-51

2-52　『萬博』会報第1号│日本萬國博覧会協会
1936年（昭和11年）
博覧会に向けて気運を高めるため日本万国博覧会協会に
よって開催の4年前から発行された雑誌。開催準備の状況
や海外の万博の情報などを伝えている。延期が決まってか
らも発行を続け、昭和16年の第56号まで続いた。その後は
『博展』と名前を変え昭和19年まで発行された。

2-53　『萬博』会報 第2号│日本萬國博覧会協会
1936年（昭和11年）

2-54　『萬博』会報 7月号│日本萬國博覧会協会
1937年（昭和12年）

2-55　紀元二千六百年記念日本万国博覧会 絵葉書│--
1940年（昭和15年）

2-56　紀元二千六百年記念日本万国博覧会
海外向けパンフレット
2600 JAPAN INTERNATIONAL EXPOSITION│--
1940年（昭和15年）

2-57　紀元二千六百年記念日本万国博覧会 絵葉書
1937年（昭和12年）
富士山と金鵄をあしらった中山文孝の図案が公式ポスター
として採用された。

2-58　日本万国博覧会ポスター図案（赤色地富嶽金鳶図）
中山文孝│1937年（昭和12年）│個人

2-59　日本万国博覧会ポスター図案（一等）│中山文孝
1937年（昭和12年）│個人
1等に入選した中山文孝の図案下絵。諸々の事情から公
式ポスターとしては採用されなかった。

2-60　日本万国博覧会ポスター図案（国旗）│中山文孝
1937年（昭和12年）│個人

2-61　日本万国博覧会ポスター図案（富士）│中山文孝
1937年（昭和12年）│個人

2-52

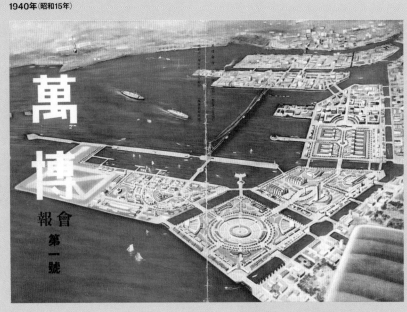

2-53
2-54

第2章｜大衆社会に広がる博覧会 1912-1945

引き継がれた幻の日本万博の遺産 ―抽籤券付回数入場券―

紀元2600年記念を冠して1940年（昭和15年）3月から8月までの開催を予定していた日本万博（東京・横浜会場）は、日中戦争の拡大を受けて1938年（昭和13年）7月に開催一時延期の閣議決定がなされた。開催まで1年8カ月に迫った準備の途上で夢と消えたこの万博は、〝幻の日本万博〟として今でも語り継がれている。明治以来、自国での万博開催計画と挫折を何度となく繰り返してきた日本ではあったが、終戦から25年を経た1970年（昭和45年）3月に悲願の万博開催を大阪で実現させることになった。

昭和戦前期に計画された紀元2600年記念日本万博は、具体的な会場計画や出品物の基準・方針、国内外への宣伝活動などが進められていたが故に、開催準備に関わる複数の資料が残されている。このうち、今日まで引き継がれている有形のモノといえば、2つの特筆すべき遺産があげられるだろう。

一つは、隅田川で隔てられた東京主会場の月島埋め立て地（現在の中央区晴海地区）を結ぶメーンゲートとして建設が進められた勝鬨橋である。この橋梁は、延期決定後も止まることなく建設工事が進められ、最終的には1940年（昭和15年）6月に中央径間の橋桁部分が跳ね上がる可動橋（二葉式跳開橋）として完成した。くしくも大阪万博の開催年に実施した試験運転を最後に跳開自体は中止されたが、現在も幹線道路上の重要な橋梁として機能しており、2007年（平成19年）には技術的完成度の高さから重要文化財の指定を受けている。

そしてもう一つは、日本万博の開催経費の資金源とする目的で発行・販売した抽籤券付回数入場券である。その名が示す通り、高額賞金が当たる抽籤券付きで前売りした回数入場券（大人用一回入場券12枚綴りで一冊）であった。何といっても、この宝くじ付きの入場券は、人々の射幸心を助長

図1　紀元二千六百年記念日本万国博覧会抽籤券付回数入場券の表紙（中央区教育委員会所蔵）
抽籤番号が印字されている図1は表紙で、2枚目以降に大人用一回入場券が2枚ずつ合計6ページある。

して購買意欲を高めただけではなく、日本初の万博開催に対する国民の関心と期待を大いに盛り上げたことは想像に難くない。後に正式な主催者となる万博協会は、早くも1935年（昭和10年）の段階で懸賞金付き入場券の前売り方式による万博の開催資金確保を検討していた。実際にこの方法で財源を確保した第4回・第5回のパリ万博（それぞれ1889年と1900年）や前売り入場券の資金を運営に充てたシカゴ万博（1933年）の実例を参考に採用したものだったのである。

　　表紙に抽籤番号が印字してある日本万博の抽籤券付回数入場券は、1937年（昭和12年）9月1日に施行された「紀元二千六百年記念日本万国博覧会抽籤券付回数入場券発行に関する法律」（法律第78号）に基づき、商工大臣の認可を受けて発行された。第1回発行（100万冊）の入場券は、1938年3月10日から3月24日までの15日間に、日本国内の郵便局、銀行・信託銀行等の金融機関、株式会社プレイガイド、社団法人日本旅行協会案内所、日本万国博覧会事務局等に設置された売捌所で販売されている。発売1カ月前から様々な宣伝媒体を通して至る所で大々的に広報・宣伝が行われており、発売直前の3月1日には9日間にわたって6大都市（東京・横浜・名古屋・京都・大阪・神戸）に視認性抜群のアドバルーン広告を複数本昇騰させる力の入れようだった。こうした積極的な広報・宣伝活動の背景には、万博開催に係る直接経費の総額を4,450万円と算出する中で、全収入の82％に当たる3,600万円もの金額を入場料収入とする大胆な計画であったことにもある。当時の万博協会は、日本万博に関連して消費される金額を4億円以上の額（諸外国からの来場者が滞在中に消費する貿易外収入を含む）で算出しており、万博がもたらす経済波及効果に多大な期待を寄せていたのである。

　　ところで、1冊10円で購入できる宝くじ付き入場券には、株式会社日本勧業銀行で執行される合計6回の公開抽籤があり、1等2,000円360本、2等100円1,600本、3等10円12,000本の当籤金が用意されていた。ちなみに、第1回（1938年5月10日）抽籤後に万博の開催一時延期が決定したが、規定通りに第6回（1940年3月11日）までの抽籤を執行し、等級別の賞金や当籤権利も反故同様の取り扱いとならなかった点には驚かされる。

　　さらに、この入場券には今日まで引き継がれている〝知る人ぞ知るエピソード〟がある。開催一時延期で宙に浮いた未使用の入場券は、終戦直後の1945年（昭和20年）12月21日から翌年2月4日にかけて払い戻しの措置が講じられた。その後も国会の場でこの入場券の取り扱いに関する審議は続くことになり、協議の結果、1970年（昭和45年）開催の日本万国博覧会（大阪）を前にして主催者である財団法人日本万国博覧会協会が未使用の旧入場券を有効とする考えを示したのである。最終的に、大阪万博では3,077枚（旧入場券は押印後に返却し、特別入場券を1枚交付）が使用され、さらに35年の時を経た愛知万博（2005年日本国際博覧会）でも96枚（旧入場券1冊に対し、特別入場券を2枚交付）の使用が確認されている。

　　2025年日本国際博覧会（大阪・関西万博）では、幻の日本万博の入場券が果たして何枚使用されるのだろうか。

［ましやまかずしげ｜中央区総括文化財調査指導員］

参考文献
- 『近代日本博覧会資料集成　－紀元二千六百年記念日本万国博覧会－』（増山一成編 国書刊行会 2015年）
- 「幻の博覧都市計画」（増山一成 佐野真由子編『万国博覧会と人間の歴史』思文閣出版 2015年）
- 「紀元2600年記念日本万博の計画とその周辺　－1930年代の国際博覧会日本展示をめぐる連続性－」（増山一成 佐野真由子編『万博学 －万国博覧会という、世界を把握する方法－』思文閣出版 2020年）

博覧会ポスターと中山文孝

下の写真│図1│は、長崎市引地町（現在の興善町）にあった中山文孝の自宅兼アトリエで撮られた写真である。後ろの壁に貼られたポスターが1940年（昭和15年）に開かれるはずだった紀元二千六百年記念日本万国博覧会の公式ポスターである。その前に座っている男性が長崎が生んだグラフィックデザイナー・中山文孝である。彼は1888年（明治21年）9月1日に長崎市で生まれ、扇子や団扇などを販売する「中山美六堂」という商店を営んでいた。現在も商店は銀屋町に場所を移しご子孫によって営まれている。

中山文孝が図案家、今でいうグラフィックデザイナーとしてデビューしたのは、1934年（昭和9年）に長崎で開催された国際産業観光博覧会のポスター│図2│を手がけたことにはじまる。その3年後、紀元二千六百年記念日本万国博覧会の宣伝ポスターの募集に応募し、みごと一等と三等に入選し、その名が全国に知られることになった。

初めて日本で開かれる国際博覧会である紀元二千六百年記念日本万国博覧会の開催に向けて発足した日本万国博覧会協会は、宣伝のためのポスターの図案を広く一般に募集することにした。万博への国民の理解と関心を高めるために1936年（昭和11年）より毎月発行された雑誌『萬博』の第11号（昭和12年3月15日発行）の誌上において、「日本萬国博覧会ポスター図案懸賞募集」の内容が発表された。その目的について次のように語ってい

る。「紀元二千六百年記念日本萬国博覧会の宣伝に使用するポスター図案は、従来日本に開かれた博覧会が使用しているポスターが稍々マンネリズムに陥ち、所謂博覧会型になっているのを打開する意気込みで、新鮮にして日本萬国博覧会の高遠なる理想と豪華なる規模とを表徴する最善の図案を得る可く、賞金二千六百圓を投じて広く一般より募集する事となった」│註1│。

賞金は一等が一千円（1名）、二等が五百円（2名）、三等が二百円（3名）としている。今の価格に置き換えると一等で180万円くらいになるだろうか。

この一般公募は大きな反響を呼び、「内地は勿論遠く、満州、朝鮮、臺灣より募集規定書の申込殺到し」、1万2千件にのぼる照会が事務局にあったという。この状況を博覧会協会事務局は次のように述べている。「日本萬国博覧会が、本邦に於ける第一回の萬国博覧会であり、又、従来の我が国のポスターが稍マンネリズムに陥っている現状に鑑み、これが打開の好機会でもあるので、職業図案家の大集団である全日本高等美術聯盟も、これに大いに力を入れ、同聯盟所属の各団体、図案家に檄を飛ばすなど、従来のポスター懸賞募集等に見られぬ現象さへ現したのである」│註2│。

募集発表から3か月後の昭和12年6月10日の締切までに集まった応募作品は2,300点にものぼった。（ちなみに同じ年に開催が予定されていた東京五輪ポスターの応募総数は1,211点にとどまっている。）

審査の結果、以下の作品が入選した。

一等　中山文孝（長崎市）
　　　赤色地黒色古代甲冑人物図
二等　上崎利一（京都市）
　　　青色地色文字組合せによる塔図
二等　吉川莞爾（長崎市）│銀地萬国旗鯉登図
三等　中山文孝（長崎市）│赤色地富嶽金鳶図
三等　田河健三（長崎市）│地珠金鳶図
三等　山下正（久留米市）│マーク形図

実に入選した6点の作品のうち、4点が長崎出身者が占めているというのも興味深い。中

1

山文孝が長崎はもとより九州地方でもすでにグラフィックデザイン界を牽引する存在であったことを物語っている。

　一等に入選した作品は、しかしながら公式ポスターとしては採用されないことになってしまった。甲冑姿の人物が神武天皇を想起させることが問題となったらしい。公式ポスターとして出回らなかったがゆえに、ポスターとしては現存していないが、この原図となった図案が残されている｜図3｜。

　結局、公式に宣伝用ポスターとして採用されることになったのは、二等の上崎利一の図案｜図4｜と三等の中山文孝の「赤色地富嶽金鵄図」の図案｜図5｜だった。この図案には赤富士とともに『日本書紀』に登場する神武天皇を勝利に導いたとされる「金鵄（きんし）」が象徴的に描かれている。これらの図案はポスターだけでなく、絵葉書やパンフレットの表紙などにも使われ、広く流布していった。

　『萬博』第15号で中山文孝が語った当選後の感想によると、70枚近くのスケッチを鉛筆で書きなぐり、その中の15枚くらいを着色し、さらにその中から5枚を選んで応募したと語っている。その中で1等に選ばれた図案、つまり「赤色地黒色古代甲冑人物図」は時間的余裕もあり最後に執筆したものだったという｜註3｜。

　入選した2点のほかに応募したという残りの3点がどれだったのか定かではないが、現在、まったく趣向の異なる万国博覧会のために描かれたと思われる図案が4種類残されている。

試行錯誤しながら全力で図案作成に取り組んだ様子が想像できるが、公式ポスターとして採用された三等の作品は断トツに格好いいと私自身は思う。今でも古臭さを感じさせない普遍性と斬新さを持っていると感じるのは私だけだろうか。

　最後に、中山文孝は地元長崎ではカステラの老舗商店福砂屋の包装紙や長崎くんちをはじめとする数々の観光ポスターのデザインを手掛けている。1969年4月25日、81歳でその人生に幕を閉じた。

［たけうちゆり］

註1　『萬博』第11号（3月号）日本万国博覧会協会 1937年
註2　『萬博』第12号（4月号）日本万国博覧会協会 1937年
註3　『萬博』第15号（7月号）日本万国博覧会協会 1937年

参考文献
● 津金澤聰廣（総監修）／山本武利（総監修）／
　加藤哲郎（監修・解説）／増山一成（編・解説）
　『復刻版近代日本博覧会資料集成
　紀元二千六百年記念日本万国博覧会』
　（全4巻＋別冊解説）国書刊行会 2015年
● 夫馬信一著『幻の東京五輪・万博1940』原書房 2016年

図1　中山文孝の自宅兼アトリエ（個人蔵）
図2　国際産業観光博覧会のポスター（㈱乃村工藝社蔵）
図3　1等ポスター図案「赤色地黒色古代甲冑人物図」
　　　（中山文孝作）（個人蔵）
図4　2等ポスター図案「青色地色文字組合せによる塔図」
　　　（上崎利一作）の絵葉書（㈱乃村工藝社蔵）
図5　3等ポスター図案「赤色地富嶽金鵄図」
　　　（中山文孝作）の絵葉書（㈱乃村工藝社蔵）

2　　　　　3　　　　　4　　　　　5

幻の博覧会は、万博だけではなかった

　　平成という時代に幻の博覧会があったのはまだ記憶に新しいところだろう。1996年（平成8年）に開催予定だった「世界都市博覧会」である（通称・都市博、当初は「東京都市博覧会」として提唱）。また戦前の日本万博が中止となり幻となったのは、東京オリンピックの中止とともに、その事実はつとに有名な話であろう。しかしそれ以外にも、幻となった博覧会はあった。

　　新潟県において新潟開港70周年を記念すべく、1938年（昭和13年）の開催予定で計画された「日本海大博覧会」である。また、同時期に計画されていた仙台（東北振興大博覧会）、甲府（全日本産業観光甲府大博覧会）、京都（春の京都大博覧会）、松江（神国博覧会）も、戦争の足音を聞く中で、結果的に中止となっている。まさに中止の憂き目を見た幻の博覧会というわけだ。

　　新潟は、幕末維新期の開港5港の一つであったことは周知の通りである。博覧会計画当時においては、満州航路との兼ね合いもあり、極めて重要な位置を占めた海外への扉であった。なお1926年（大正15年）には、新潟港築港完成を記念する新潟築港記念博覧会が行われている。新潟港に関わる事業は新潟市民に大きな意味をもたらすものでもあり、開港70周年という区切りの良い年に開催することでの博覧会が計画されたのだった。さらに、市制50周年を記念するものでもあった。博覧会は、白山公園地先の信濃川畔を埋め立ててできた地での開催を予定した。しかし実行に移そうとしたその時、1937年（昭和12年）7月7日の盧溝橋事件に始まった日中戦争が拡大。同時期に計画していた4都市とも協議し、中止が決定したのである｜註1｜。

1

2

3

4

4月20日から開催予定だった日本海大博覧会は、実施に向けて着々と準備が進んでいた。万代橋のたもとには「大宣伝塔」が建てられ｜図1｜、吉田初三郎画による新潟市の鳥瞰図が掲載された『新潟市』案内パンフレットも、日本海大博覧会事務局より発行されている。幻と言いつつ、その全体像がわかる図も残る｜図2｜。博覧会場には、産業本館、日本海館、発明館、近代科学館、国防館など20余りの施設が設けられ、バルーンが上がり、ウォーターシュートのアトラクションも設けられる計画だったようだ。

新潟以外の4都市の博覧会も準備が行われており、絵葉書などの資料は残る｜図3｜。しかし、それらはいずれも、ただ開催計画のみを物語る資料となってしまったわけだ。

ところで、先の吉田初三郎の鳥瞰図では、博覧会の会場の様子は描かれていないものの、水族館建設が計画されていたことが読み取れる｜図4｜。吉田初三郎の鳥瞰図が作成された当時、新潟市内に水族館が存在した事実はなかったが、これによる限り、海岸沿いに水族館をつくろうとしていたようなのだ。そのように博覧会に合わせ水族館を建設公開する様子は、第五回内国勧業博覧会の堺水族館が有名だが、新潟県内でも1931年（昭和6年）の長岡市主催・上越線全通記念博覧会において前例があった。寺泊町（当時、現・長岡市）に第二会場としてつくられたのである。吉田の鳥瞰図では、博覧会の主会場は描かれていないものの、水族館がしっかりとその存在感を示しているのは、もしかすると長岡のように博覧会に合わせて水族館を建設しようとしたそれが描かれたのではないかと推測されるのである。博覧会は、単に博覧会場だけでの催しではなく、市域の繁栄をも期待されたと読み取れるのではなかろうか。

さて、結果的に中止となった日本海大博覧会であったが、その後、新潟市民はその無念をなんとか晴らそうとしていたようであり、それは、開港85周年に当たって実現する。1953年（昭和28年）の新潟県観光産業博覧会（通称・新潟博）の開催に至ったのである。『新潟県産業観光大博覧会誌』（1955年）の「緒言」には、日本海大博覧会の「開催の計画と意欲は、爾来極めて根強い全市的懸案事項として、年々新らしい感覚を織り込みつつ引き継がれてきた。」とあって、日本海大博覧会の計画があったからこそその開催だったと言う。「幻」を本当の「幻」にしないという思いがあり、ここに、当時の「博覧会」に対する意識を見て取ることができる。なお、新潟以外の他4都市の博覧会については、その後実行されたというのは寡聞にして知らず、新潟のみが、幻となったその無念を晴らしたのだと言えるのかもしれない。

[やまもとてつや｜新潟県立歴史博物館]

註1 新潟新聞1937年10月1日号の記事では、「"海博"を延期明後年開催に決定！」とあり、その後、新潟毎日新聞1938年4月21日号の記事では、新潟、仙台、甲府、京都は正式に中止を決定、松江は「国防的色彩を添え」「明年」開催とある。

図1 日本海大博覧会大宣伝塔（パンフレット『港と物産』より）
図2 日本海大博覧会全景図
図3 絵葉書・リーフレット類（左・仙台、中・京都、右・新潟）
図4 吉田初三郎画・鳥瞰図（部分）
左下に博覧会場となる白山公園地先の様子が、右上に水族館が描かれている

第2章｜大衆社会に広がる博覧会 1912-1945

第3章
戦後の博覧会
1945—

世界中を戦禍に巻き込んだ第二次世界大戦が終わると、平和と復興を願う博覧会が日本各地で開かれた。終戦後間もない1948年（昭和23年）には大阪で復興大博覧会が、1950年（昭和25年）には兵庫でアメリカ博覧会が、1952年（昭和27年）には長崎で長崎復興平和博覧会が開かれた。人々もまた博覧会に未来への夢と希望を求めていた。

―――

国土が戦場になることのなかった戦勝国アメリカは、ますます国力を高め、博覧会の中心はヨーロッパからアメリカへと移った。1964年のニューヨーク万国博覧会でウォールト・ディズニーが演出を担当するなどエンターテイメント性を重視したものや企業パビリオンが主役の座に躍り出るなど、博覧会の性格も変化していった。

―――

1967年のモントリオール万国博覧会ではテーマが重視され、博覧会で初めて「テーマ館」がつくられた。それから3年後の1970年に大阪万博を控えた日本の関係者らは、初めて目にするニューヨーク万博とモントリオール万博から強い影響を受け、大阪万博に臨むことになる。

After the end of World War II, which had brought devastation all across the globe, expositions were held in various parts of Japan to pray for peace and reconstruction. Shortly after the war ended, in 1948, the Great Reconstruction Exposition was held in Osaka; in 1950, the America Fair was held in Hyōgo; and in 1952, the Nagasaki Reconstruction and Peace Exposition was held in Nagasaki. Once again, people turned to expositions to find dreams and hopes for the future.

The United States had emerged victorious from the war, and with its soil unscathed by battle. Consequently, its power grew, and the center of expositions moved from Europe to the US. The character of the expositions also changed, with a new emphasis on entertainment, exemplified by the attractions developed by Walt Disney for the 1964 New York World's Fair, and pavilions sponsored by private companies taking center stage.

―――

At the 1967 International and Universal Exposition in Montreal, the importance of an overall theme was highlighted, and for the first time "theme pavilions" were implemented. Strongly influenced by the innovative New York World's Fair and Montreal Expo, Japan would host the 1970 Osaka Expo just three years later.

大阪万博への道   1964   New York World's Fair

ニュヨーク世界博覧会

3-01

3-01

ニューヨーク世界博覧会｜--｜*Remembering the FUTURE Rizzoli, (1989)* より転載
1：会場風景｜2：会場夜景｜3：IBM館｜4：イリノイ州館｜5：フォード館

1964年―1965年のニューヨーク世界博覧会は国際博覧会事務局未公認の博覧会であったが、国際博覧会に匹敵する規模の博覧会だった。ソ連、イギリス、フランスなど主要先進国の参加はなかったものの、日本も含め60ヶ国が参加し、アメリカの大企業中心の博覧会となった。ウォルト・ディズニーが演出をプロデュースしたユニセフ館の「イッツ・ア・スモールワールド」など、ライドやロボットを使ったエンターテイメント性の強い大掛かりな展示手法が観客を魅了した。

1967年のモントリオール万国博覧会は、カナダ建国100周年を記念し、「人間とその世界」をメインテーマに掲げ開催された。新しい技術を用いた映像や照明、音響による演出が行われ、「映像博」とも呼ばれた。一方で、日本館での自動車展示に対し商業主義が強すぎるとの批判を受け撤去する一幕もあった。

大阪万博を3年後に控えた日本の万博関係者の多くがこのモントリオール万博を視察し、実際に見て体験したことを大阪万博に貪欲に採り入れていった。

1

2

5

3

4

CHAPTER 3

モントリオール万国博覧会

3-02 モントリオール万国博覧会｜--
*expo67 (Thomas Nelson & Sons, 1968)*より転載
1：全景｜2：サブテーマ館「ラビリンス」
3：チェコスロバキア館

3-03 モントリオール万国博覧会
寺下勲(撮影)｜1967年(昭和42年)

3-04 モントリオール万国博覧会視察団
羽田空港記念写真｜--｜1967年(昭和42年)
画像提供：日本ディスプレイ業団体連合会

2　　　3

3-02

1

3-03　　　　　　3-04

戦後最大の博覧会｜日本万国博覧会（大阪万博）

日本において、万国博覧会開催の機運が高まったことが幾度かあった。具体的には、1890年の亜細亜博覧会、1912年の日本大博覧会、1940年の紀元二千六百年記念日本万国博覧会と3度の計画があったが、すべて実現には至らなかった。敗戦後、国際社会に復帰した日本は、1964年にアジア初となる東京オリンピックを成功させた。続いて万国博覧会誘致への気運が高まるなか、1965年に日本は国際博覧会条約の加盟国となる。BIE（博覧会国際事務局）によって、1970年の国際博覧会の大阪での開催が承認された。「人類の進歩と調和」をテーマに掲げて実施された日本万国博覧会（大阪万博）は、183日間で6,421万人の入場者を数え、それまでの国際博覧会の記録を塗り替えた。映像技術など最新のテクノロジーを駆使した各パビリオンの展示が人々を魅了した。人々が熱狂したこの国家イベントは、GNPで世界第2位となるなど、奇跡とも呼ばれた高度経済成長を象徴する出来事として、人々の記憶に刻まれた。

3-05
3-06

左から
3-07
3-08
3-09
3-10
3-11
3-12

3-13　企業・政府館パビリオン 絵葉書｜--
1970年（昭和45年）

1	みどり館	7	アメリカ館
2	三菱未来館	8	ソ連館
3	住友童話館	9	フランス館
4	松下館	10	日本館
5	東芝IHI館	11	スイス館
6	ガスパビリオン	12	タイ館

3-13

1

2

3

4

5

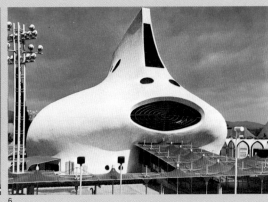
6

7

10

8

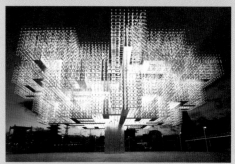

11

9

12

3-14

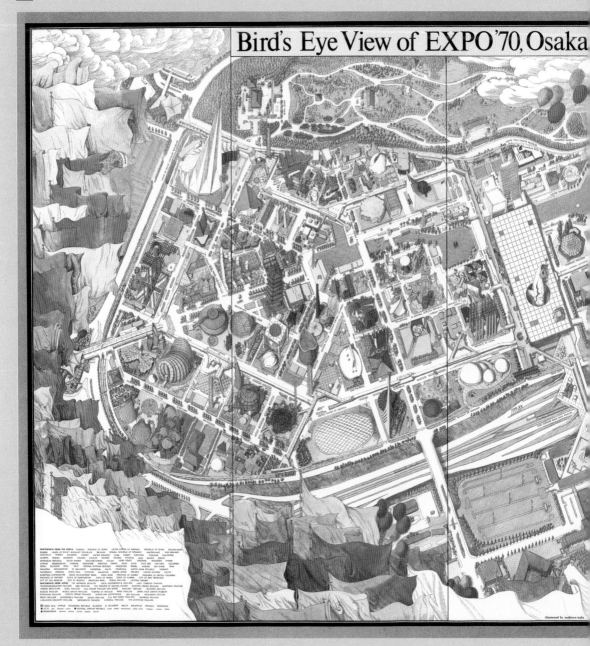

3-15

3-16

3-17

1970年大阪万博の会場計画

1 | アジア初の国際博覧会と会場計画

1970年3月15日から9月13日までを会期として、日本万国博覧会が開催された。国際博覧会条約に基づく第一種一般博覧会である。会場規模は総面積約330万平方メートル、入場者数6421万8770人という空前の規模となった。

1965年、国際博覧会条約を批准、博覧会国際事務局に「日本万国博覧会」の開催を申請する。

会場中央に南北に長さ約1キロ、東西に幅150メートルという巨大なシンボルゾーンを設定、お祭り広場、太陽の塔、テーマ館、エキスポタワーなどの施設を軸線に沿って配置した。ここから四方に「動く歩道」が連絡し、各曜日を名称とする広場を中心にパビリオン群が建設された。

この会場計画は19世紀にはじまる万国博覧会の歴史上、空間構成がテーマを表現している点において特徴的であった。中心のシンボルゾーンに多くの人が交歓する施設群を配置し、「人類の進歩と調和」というテーマを集約的に表現とし

た。さらに4ヶ所のゲートに伸びる幹線軸において、目に見えるかたちでサブテーマの展開を試みている。以下では会場構想の経緯について整理しておきたい。

アジアで初となる国際博覧会の日本誘致に向けた動きは、東京オリンピックが開催された1964年にさかのぼる。大阪府、大阪市のほか、東京、千葉、滋賀などが候補地として名乗りをあげる。最終的に千里丘陵を会場に選定、8月に「1970年の万博開催を積極的に推進する」ことが閣議決定された。

都市計画家の浅田孝は1964年に大阪府から『近畿万国博覧会構想に関する研究報告』の策定業務を受託、川添登らとともにマスタープランをまとめている。東京大学で丹下研究室を支えた時期もある浅田は、1960年、菊竹清訓、黒川紀章、栄久庵憲司、粟津潔、槇文彦、大高正人など、先鋭的な建築家やデザイナーとともに「メタボリズム」を結成するうえで中心的な役割を果たした人物でもある。

大阪での開催が決定したことから、本格

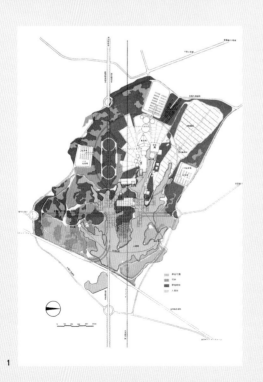

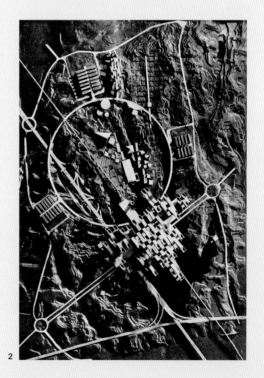

3

的な検討が始まる。原案となったのが、先行して
1965年11月に京都大学工学部西山研究室に
委嘱された「会場計画に関連する問題について
の調査、研究」の報告である。建築、土木、造園、
経済の各研究室が合同で「京都大学万国博調
査グループ」を発足、わずか2ヶ月で「日本万国博
覧会会場計画に関する基礎調査研究」と題する
報告書をまとめた。

　　　報告書にあって、「人類の進歩と調査」とい
う万博のテーマをもとに、会場計画へとつなげる基
本的な考え方について提案がなされている。

　　　そこではこの国際的なイベントの「中心思
想」に関わる解釈が示される。科学や技術の誤っ
た適応は、人類そのものを破滅に導く可能性を
含む。それを救う道は、文明の多様性を信じるこ
と、そして互いがその存在を確認しあうことにであ
る。西欧的な文明一元論の思想を排除し、互い
の存在が矛盾しあい、文明があい異なるものであっ
ても、相互に承認しつつ調和をはかろうとする文明
多元論の考え方をとることにこそ、この国際的なイ
ベントの「中心思想」があるとした。

　　　次にこの思想を会場計画に展開する基本
的な考え方として、人類が対決するべき「矛盾」の
呈示と、その理解のためになすべきことを示すとい
う指針が記される。提言では「人間と人間との矛
盾」「技術と人間との間の矛盾」「自然と人間との
矛盾」の三つの矛盾を確認、博覧会場はそれら

を解決するモデルを示すべきだという。

　　　おのおのの矛盾に対応して三つの考え方
が導かれる。第一には「科学、技術に限定される
ことなく、人類の在るところ、総てに存在する人類の
多様な智恵が広く交流しあえる場」であること、第二
には「人間疎外の状況が進行しつつある中で、新
しい人間接触、新しい人間交歓としてのレクリエー
ションの形と場が創造されるもの」であること、第三に
「国土の都市化と共に進行しつつある自然破壊、
環境悪化に対し、未来の人々の生活に適合し、科
学技術に裏打ちされた新しい国土像」を打ちたて
るべく、「合理的で、かつ豊かな人々の将来のすま
いと都市のモデル」となる会場計画であるとされた。

　　　この時期に作成された試案の事例として、
京都大学工学部建築学教室の川崎研究室が
1966年3月に専門誌に発表した構想を紹介して
おきたい。基本計画には、文明論的アプローチ、
近畿圏的構想アプローチ、産業連関的アプロー
チなど多元的な条件の総合として示されるものとし
つつ、そのなかで「文明論」を主軸とした案を提示
すると強調されている。「自然と文明の和解」を主
題として、すり鉢状に起伏のある会場の地形を生
かして広大な人工池を掘り込みつつ、その空中
に巨大な人工地盤を構築、パビリオン群を配置す
るという計画になっている。その後、会場計画は大
きく変更されるが、人工池を敷地内に設けるアイ
デアはその後も継承されている 図1, 2, 3 。

2｜文化主義、産業主義、技術主義

基礎調査と変更して会場計画を検討する
べく、飯沼一省を委員長、石原藤次郎と高山英
華を副委員長とし、15名の専門家からなる会場計
画委員会が組織され、1965年12月に最初の会
合が開かれている。ここにあって、京都大学の西
山夘三と東京大学の丹下健三をチーフ・プラン
ナーとし、原案をとりまとめる部会である会場計画
原案作成委員会が設置されることになった。

先の基礎調査をもとに「三月案の考え方」
と称する基本方針が示された。そこでは①人をひ
きつける魅力がある、②人々の動きが混乱しない、
③跡地がうまく利用できる、④運営条件の変化に
対応できる、⑤未来都市のコアのモデルとなる、と
いう五項目が示された。なかでも「未来都市のコ
アのモデル」という発想は会場計画における重要

な理念とされ、具体的には先の三つの「矛盾」と響
きあうかたちで、「一五万人のお祭り広場――人
間と文化の表現」「人工頭脳――科学の偉大な
前進への表現」「環境――自然の正しいサイクル」
の三つの「シンボル空間」が必要であるとされた。

4月6日、「三月案の考え方」をもとにイメー
ジをかたちにする第一次案がまとめられる。全体を
「未来への実験場」「未来都市のコア」となるよう
に構成すること、自由な創意による個々の空間造
形を前提としつつテーマの精神が十分に生かされ
るように総合的、かつ全体としての調査が保てるよ
うに計画すること、展示スペースのほかに人々の憩
いやリクリエーションのための空間や人々の人間
的交歓の大デモンストレーションの場を計画する
ことなどが基本事項として確認された。

さらに5月23日、鉄道駅や展示ゾーンの区
分、サブ広場やレクリエーション・ゾーンを加味し

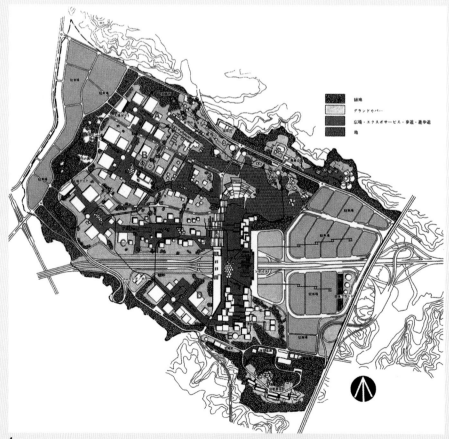

た第二次案が呈示される。ここにおいては都市の課題として、増大する人・物・情報の集中をいかに処理するのか、マス社会にありながら処理しきれない個人の主体性の確保、都市の成長変化に対応するシステムの発見が掲げられた。

　また第二次案では「未来都市のコア」という理念が具体的に説明される。国土幹線、都市間幹線といった交通動線から都市へのアプローチを想定するとき、未来都市にあっては、市街地の周辺部に都市内交通との接続、変換、中継をはかりつつ、流通を前提とした各種産業が集積する流通コンビナートが必要だとみる。「未来都市のコア」は、流通コンビナートと一般市街地とを分離しつつ、同時に両者をつなぐ役割を担う「都市の核」と位置づけられた｜図4｜。

　第一次案はイメージプランであり、第二次案はパイロットプランであった。公式記録では会場計画委員会にあっては、一本化は難しいと思われるほど、理念に関する議論がかわされたと記載されている。そこにあっては立場の違いから、①文化主義、②産業主義、③技術主義などに大別されたとある。

　文化主義は「人類の進歩と調和」というテーマを会場の表現にも強調するべきだとする立場である。従来の万博では「デモンストレーション・

6

ゾーン」などと呼んでいた催事スペースを「シンボル・ゾーン」という名称でとらえ、そこでテーマ展開を見せようという意見である。

　産業主義は、博覧会終了後、跡地が大阪都市圏における新たな中核となることを位置づけようとする立場である。そのためには、会場計画に先立って跡地を含む都市構想を確定することが求められた。

　もうひとつが技術主義の立場である。歴史的にみれば、万博は新しい科学と技術をデモンストレーションする場であった。開催のたびに最新の技術を反映する巨大モニュメントが建設されるのが常であり、また新たに開発された素材も試験された。先例に習うのであれば、少なくとも二〇世紀の後半に現実化し、日常に浸透し始めた技術的素材と取り組む必要があるとされた。

　実際の計画立案では、文化主義、産業主義、技術主義、それぞれの立場が折衷されたようだ。1966年9月6日に第三次案が、11月16日には最終的に第四次案が会場計画委員会に提出され承認を得る。そこには、お祭り広場の想像図も添えられていた｜図5,6｜。

3｜シンボルゾーンの構想

　1967年に入って、丹下健三がプロデューサーとなり12人の協力建築家とともに基幹施設の配置設計を担うことになる。3月15日、会場の起工式が行われる。もっともシンボル・ゾーンなどの基幹

5

第3章｜戦後の博覧会1945–

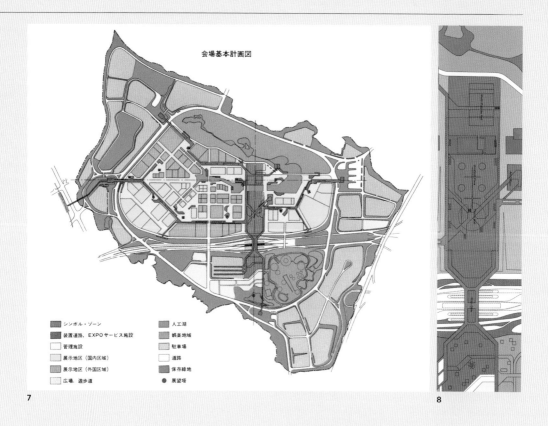

会場基本計画図

シンボル・ゾーン　　　　　　　人工湖
装置道路，EXPOサービス施設　娯楽地域
管理施設　　　　　　　　　　駐車場
展示地区（国内区域）　　　　　道路
展示地区（外国区域）　　　　　保存緑地
広場，遊歩道　　　　　　●　展望塔

7　　　　　　　　　　　　　　　　　　8

施設の構想がとりまとめられたのは、ようやく7月3日
のことだ。

　1967年11月に配布された『日本万国博覧
会 概要』に、会場計画や開催時を想定した会場
のイメージ模型とともに、シンボル・ゾーンの初期
計画が紹介されている。そこでは「人類の進歩と
調和」というテーマの精神が「人類交歓の場」であ
る会場全体に展開している点が日本万国博覧会
の大きな特色とし、とりわけそれを「集約的に表現
する場」としてシンボル・ゾーンを設けることとなった
と述べる｜図7｜。

　シンボル・ゾーンには、北側に、お祭り広
場、テーマ展示施設、多目的ホール、美術館など、
南側に、電子頭脳を駆使する情報管理センター、
本部ビル、世界の名店街がならぶショッピングセ
ンター、世界中の味覚を集めたうまいもの店、火
の広場などがつくられ、南端に高さ180mの展望
塔がそびえ立つものとされた。もっともここに示され
た計画のなかで、南側の中核となることが想定さ

れた「火の広場」などは実現をみていない｜図8｜。

　シンボル・ゾーンにあって、「大きな呼びも
の」となることが想定されたのが、お祭り広場である。
「日本のお祭り」と「西洋の広場の精神と性格」を
兼ね備えた「人間交歓」の場所であり、テーマを象
徴的に表現する「人間協和」の広場であると説明
されている。この段階では、お祭り広場は、上空
30mに可動式で自由に開閉できる厚さ10mの透
明の巨大な屋根で覆われるものと想定された。広
場の演出装置として、電子頭脳が組み込まれた3
体のロボット型移動クレーンが設置され、会期中
を通じて「世界一流の芸術家や芸能人が参加す

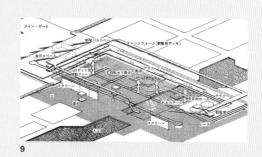

9

る多彩な催し物」が連日連夜行われるものと想定されている|図9|。

　また大屋根には、直径76mの丸い吹き抜けがあり、その周囲にテーマ展示が展開されることとされた。この穴の部分に、地下の展示、地上の展示、空中の展示を連絡するエスカレーターなどが設置されることになっていた|図10, 11, 12|。

　1967年7月7日に岡本太郎がテーマ館のプロデューサーに就任する。大屋根に開けられることになっていた大きな円形の穴から突き抜けるように、テーマ館の一部を構成する「太陽の塔」が計画されることになる。

［はしづめしんや］

10

11
12

参考文献

● 　京都大学万国博調査グループ報告書
　　『70日本万国博覧会会場計画に関する基礎調査研究』
　　財団法人日本万国博覧会協会版、一九六六

● 　「JEXPO70日本万国博覧会構想計画」
　　（『新建築』一九六六年三月号、新建築社）

● 　「日本万国博覧会会場基本計画第2次案」
　　（『新建築』一九六六年七月号、新建築社）

● 　斎藤五郎編『日本万国博事典（改訂再版）』
　　丸之内リサーチセンター、一九六九

● 　『日本万国博覧会公式記録集　第3巻』
　　日本万国博覧会記念協会、一九七二

第3章｜戦後の博覧会 1945-

博覧会から始まったもの

1 | 発明品と博覧会

博覧会は、新しい技術や発明品が紹介される機会でもあった。また結果として、従来にないライフスタイルや価値観が広く普及する契機となった。

新しい建築のあり方も博覧会場で示された。世界初の国際博覧会であった1851年の第1回ロンドン博では、鉄とガラスを駆使した展示施設「水晶宮」が象徴となった。温室などの設計で知られた庭園技師J.パクストンが設計、工場で生産した部材を現地で組みあげ、約563m、幅約124mの巨大建築を架構した。1889年の第4回パリ博では、エッフェル塔が人気を集めた。

電気を動力とする発明品や電化製品も、博覧会で注目される。1879年のベルリン勧業博覧会の際、ジーメンス社の直流電気機関車が実際に運転された。電信や電話などの通信関係、音響に関する発明も、博覧会を通じて人々が知ることになる。グラハム・ベルは1876年のフィラデルフィア万博で、電話のデモンストレーションを実施した。

1889年、パリで「電気」を主題とする万国電気博覧会が開催された。会場内には50種類のアーク灯と白熱電球が出展された。注目されたのが、炭化された竹をフィラメントに用いたエジソンの白熱電球である。その後、エジソンはシャンゼリゼに展示場を設置し、16燭光の電球1,200個を点灯してみせた。多くの企業家が、エジソン

の特許を得て、電灯を事業化しようと試みたという。さらにエジソンは、「フォノグラフ（蓄音機）」を1889年の第4回パリ博に出展、エッフェル塔に次ぐ人気を博したと伝える。

1893年のシカゴ博では、電化による新たな生活文化の可能性が示された。約12万球の電灯による圧倒的なイルミネーションが人々を楽しませた。開会式では大統領がボタンを押すと、発電機がまわり、会場内に電力を供給する演出があった。

会場内の運河には電動ボートが往来、循環式の高架電車も運行した。埠頭には電車用モーターで稼働する「動く歩道」が敷設された。電気館では電動エレベータが話題になった。またGE社が「電気の塔（エジソンタワー）」や直流型発電機を出展、対してウェスティングハウス社は交流型発電機を展示した。

1900年のパリ博では、電気館が最大の話題となる。会場内には鏡と電気照明を組み合わせて別世界を見せせる幻想宮、リュミエール社の映画、電話機、X線などが人気を集めた。会場の周囲には木製ベルトで駆動する延長3.6kmの「動く歩道」が敷設された。

日本にあっても、新たな技術や商品とともに、近未来の交通手段や生活様式が博覧会で紹介された。明治23年の第三回内国勧業博覧会にあって、東京電灯会社が日本初の路面電車を走らせた。続く、京都での第四回内国勧業博覧会で

1
2

3
4
5
6

は市電の営業運転が始まる。明治36年、大阪で開催された第五回内国勧業博覧会では、会場全体を彩る日本の本格的なイルミネーション|図1,2|、光学を演出に使ったシアター、巨大な冷蔵庫などが人気を集めた。

大正3年、上野公園で開催された東京大正博覧会では日本初のエスカレーターが会場内に設置された。昭和3年、大阪で開催された大阪交通電気博覧会では、第三会場に懸垂飛行鉄道合資会社による懸垂式のモノレール「空中飛行電車」が設置される。日本初の試みであり、工事も許認可も難航した。会期終了間際になってようやく運行、乗車賃は入場料より高額であったという。

2 | 1970年大阪万博から始まった

1970年に開催された大阪万博でも、新しい技術や新商品が紹介された。

会場にあって、私たちはさまざまな技術革新に驚かされることになる。たとえばパビリオンの建設にあたっては新たな建築技術が試行された。アメリカ館|図3|や富士グループパビリオン|図4|、電力館などでは「空気膜構造」による大空間が構築された。シンボルゾーンの大屋根の建設では、日本では初となる大規模なジャッキアップ工法が採用された。

タカラビューティリオン|図5|、エキスポタワーなど、建築の工業化を具体化するべく、工場で生産されたカプセルやユニットを組み合わせる展示館が話題になった。ユニットごとの新陳代謝を想定、「メタボリズム」と呼ばれる建築運動として広く知られることになる。

企業パビリオンは、巨大映像やマルチ映像、電子音楽、ロボットやコンピューターなどを駆使して、ユニークな出展を競い合った。日立グループ館のフライト・シミュレーター、自動車館の自動運転によるゲーム、サンヨー館の「人間洗濯機」や未来のキッチン、IBM館のコンピューターを用いた物

語作成など、いずれも近未来の生活を予感させるものであった。電気通信館では、携帯電話の祖型であるワイヤレスフォンを利用することができた。みどり館では、世界初となる全天全周映像「アストロラマ」が人気を集めた。

運営にも新技術が応用された。関係者は連絡用にポケベルを持ち歩き、迷子センターには遠隔地の親子を対面させるテレビ電話が設置された。また中央で制御する情報提供システムや地域冷房システムなどの設備面、「動く歩道」や日本初となる跨座式モノレールなど会場内交通の工夫もあった|図6|。万博の会期中に、敦賀や美浜の原子力発電所から会場への送電に成功したことも話題となった。

食文化も、新たな創意工夫があった。UCC上島珈琲は缶コーヒーを商品化、日本初のファストフードやファミリーレストランも会場内で営業した。ブルガリア館で提供されたヨーグルトは、博覧会後に日本で一般化する。

1970年大阪万博は、全国的な旅行ブームも喚起した。東京と新大阪を連結する東海道新幹線を利用する人が急増、新幹線は会場外にある「パビリオンのひとつ」であると国鉄は宣伝した。

博覧会の会場は、期間を限って仮設される近未来都市のモデルである。1970年大阪万博にあっては、会場全体が「社会実験」の場であり、また市場調査の好機を企業に提供したと言ってよいだろう。

[はしづめしんや]

図1　第五回内国勧業博覧会における日本初のイルミネーション(橋爪紳也コレクション)
図2　第五回内国勧業博覧会の正門夜景(橋爪紳也コレクション)
図3　アメリカ館(橋爪紳也コレクション)
図4　富士グループパビリオン(橋爪紳也コレクション)
図5　タカラビューティリオン(橋爪紳也コレクション)
図6　1970年大阪万博のモノレール。跨座式では日本初とされる(橋爪紳也コレクション)

第3章｜戦後の博覧会 1945-

日本の博覧会におけるディスプレイ(display)の変遷

"ディスプレイ"という言葉を聞いて連想されるのはパソコンやテレビのモニターではないだろうか？

ディスプレイの語源は「ラテン語のdisplicareで、中世ラテン語時代に"開く"を意味するようになり、英語では"人目にさらす"という意味が生じた」と『英単語由来辞典』(柊風舎 2015年)に記載されている。また、『ディスプレイデザイン』(鹿島出版会 1996年)で「動物学では動物が自分を大きく見せたり、身体の目立つ部分を強調して示す姿勢や動作をディスプレイという」とし、孔雀が羽根を広げることをその事例としてあげている。ここではパソコンやテレビのモニターではなく、"人目にさらす"意味のディスプレイについて、日本の博覧会を通してその変遷をたどってみる。

日本の博覧会の嚆矢は1871年(明治4年)秋に西本願寺で開催された京都博覧会であるが、『イラストレイテッド・ロンドン・ニューズ』に描かれた翌年春の第一回京都博覧会の知恩院会場は、柵の手前にいる観客が手を伸ばせば届くような場所に設置された長い陳列台に武具や古陶器などが並べられており、前年の京都博覧会も同様の陳列風景であったと推測される。これら陳列の手法は江戸時代から始まる薬品会・物産会といわれる展示会の流れがみてとれる。

その後、陳列は出陳品をよりよく見せる工夫や装飾が施されるようになる。例えば、1903年(明治36年)に大阪・天王寺を第一会場として開催された第五回内国勧業博覧会の工業館では、都道府県別に出陳物を陳列箱の中に展示する手法がとられた。『内国勧業博覧会東京出品連合会報告』には出品物の陳列が優大盛美にして均一にならないように東京出品連合会を設け、陳列嘱託を任命している。また、暗い館内で明るさを確保するために陳列箱の位置などを考慮したり、出品物を引き立たせる色の布を敷いたりして、大阪毎日新聞社から「出品設計意匠優等ナルモノ」として記念メダルが贈呈されている。

記念写真帖を見ると陳列箱は屋根にあたる部分に様々な装飾がほどこされ、第一回内国勧業博覧会に比べると陳列箱内部の装飾のほかに陳列箱自体が装飾的になっていく傾向が顕著に表れている。

1914年(大正3年)、上野公園で開催された東京大正博覧会では、各府県が用意した陳列箱に個人の出品物をまとめ、府県全体の教育産業の現状を統計的に説明しようとする試みが多くみられた。一方で、興行物の出願には模型の出願者が9名記載されており、出品物を並べる展示だけでなく、現物を展示することが難しい出品物や状況を再現するためのパノラマ・ジオラマ展示が加わっていたことを示している。

1926年(大正15年)に京都で開催された皇孫御誕生記念こども博覧会では全館の装飾一切を博覧会事務局から京都高等工藝学校建築図案科に委嘱されるという画期的な試みがなされ、「全館のおもちゃ化」というコンセプトのもと展示プランの根幹が決められた。従来の博覧会では必ず経木や布で天井を覆っていたがこれも廃止し、高い天井をそのままにして光と涼しさを確保するなど学者の説に基づく"館内装飾の省略"という新しい工夫がほどこされたのである。

大正期に入ると出品物の装飾を請け負う専門業者が出現したこと、電気の応用技術が発達したことが展示に大きな役割を果たした。音響・映像・照明などの現代科学技術を除けば、今日に通じる手法が大正期に登場していたのである。

戦後の1949年(昭和24年)に横浜市で開催された日本貿易博覧会の観光館はバウハウス出身で日本大学芸術学部・山脇巌教授が全体をプロデュース、窓から入る不必要な外光問題を解決すべく舞台照明家の大庭三郎が起用された。写真パネルを使い天井空間にポイントをおいた展示、壁面の図表やグラフィックパネルの多用など、博覧会の展示の概念を打ち破った空間構成と照明処理など、空間全体を使ったディスプレイが

注目された。

また、翌1950年（昭和25年）に開催されたアメリカ博覧会では第一会場の西宮球場スタンド内部の円形空間に歴史・政治・経済・教育・芸術・文化・生活などアメリカ合衆国の総てが図表や写真パネルによって展示され、第二会場の北口広場には「アメリカを半日で旅行できる」というフレーズで金門橋、ナイアガラの滝、マンハッタンの摩天楼、自由の女神などの観光地を約1万6,000平方メートルに再現するアメリカ一周野外大パノラマがつくられた。

科学技術の発展とともにアクリライト、プラスチック、石膏ボード、ガラスファイバー、蛍光塗料などの石油系新素材が加わった事が、ディスプレイの表現方法を拡げた。博覧会の展示も陳列箱の時代から空間全体を使って情報をビジュアルに表現するディスプレイデザインの時代へと着実に移っていったのである。

1970年（昭和45年）、アジア初の日本万国博覧会が大阪・千里丘陵で開催された。この国家事業は博覧会のディスプレイにおいてメルクマールとなった。遡ること6年前の1964年から65年にかけて開催されたニューヨーク世界博覧会は従来のパビリオンの展示手法を一変させた。全天全周映画、オーディオアニマトロニクスのロボット、ライドなど展示に関わる各企業が持つ技術を駆使して極めて大掛りなショーを出現させ"遊ぶこと楽しむことに主眼をおいた"ディスプレイで観客を魅了した。既に1970年の日本万国博覧会開催が決定していた1967年、モントリオール万国博覧会が開催された。この万国博はテーマの浸透が重視されたの

と同時に、その展示手法は大小を問わずスクリーンを使った展示が3,000にものぼり"映像博"の色合いが強かった。新しいテクニックの映像、照明・音響などを連動させた空間全体の演出、出展の意図に沿って観客を移動させる装置、コンピューター制御技術が花開いたのである。このふたつの博覧会のディスプレイが日本万国博覧会に影響を及ぼすのは必然であった。日本万国博覧会の多くのパビリオンの展示手法はモントリオール万国博の影響を直接的に受け、映像で観客を包み込むためにスクリーンや映写技術を開発し、進化した照明技術・音響技術を加えた映像博であったのである。

昨今は居ながらにして世界中の情報が入手可能な社会環境になり、日常生活の中で斬新なアイデアのディスプレイを体験できるようになった。特に2020年は地球レベルのコロナウィルスの感染により、人々の行動変化を余儀なくされた。2025年にはどのような"人目にさらす"手法が体験できるのか楽しみである。

［いしかわあつこ］

註　本稿のテーマについての詳細は、
拙稿の「資料から見るランカイ屋と装飾業の歴史」
(佐野真由子編『万国博覧会と人間の歴史』思文閣出版 2015年)、
「展示装飾業からディスプレイ業へ
−大阪万博前後からの展開−」
(佐野真由子編『万博学』思文閣出版 2020年)
を参照されたい。

図1　第五回内国勧業博覧会
図2　日本貿易博覧会
図3　アメリカ博覧会

1

2

3

第3章｜戦後の博覧会 1945−

乃村工藝社「博覧会資料COLLECTION」と博覧会年表について

ここに掲載する博覧会年表は、乃村工藝社が「博覧会資料COLLECTION」として資料を保有している内外の博覧会、ステートフェアなど博覧会に準じる大型イベントを整理して年代順に記載したものです。ただし博覧会国際事務局が認定した国際博覧会に関しては、「博覧会資料COLLECTION」に資料のない事例も掲載することにしました。

――

年表では、各国政府が協力して実施する国際博覧会、それぞれの国が独自に企画する博覧会、地方自治体が実施主体となる地方博覧会、ステートフェア、主題を限った園芸博覧会などを記載しています。また大規模なイベントだけではなく、遊園地や百貨店の小さな催事の類も、「博覧会」と称していれば同じ扱いで掲載しました。

――

乃村工藝社の「博覧会資料COLLECTION」は、明治期から現在までに開催された国内外の博覧会に関する公式記録のほか、錦絵やポスター、バッジ、入場券、記念グッズといった雑資料に至るまで総数20,000点におよびます。博覧会研究家である故・寺下勍さんから寄贈された資料をもとに、「博覧会資料を社会的に活用したい」という乃村工藝社と寺下氏の趣旨にご賛同いただいた個人・団体からの寄贈や、乃村工藝社が追加で購入した資料を加えたものです。創設時に私の手持ち資料も寄託しています。

――

寺下勍さんとは、乃村工藝社の社史編集でご一緒して以来、私も長いご縁がありました。編集作業のあと、居酒屋の酒席で楽しく、博覧会やディスプレイ業界の話をうかがえたのは良い思い出です。1970年大阪万博の開幕式で、大屋根のうえに陣取っていた多くのスタッフが、紙吹雪と千羽鶴を会場に降らせました。寺下さんもその業務に携わっておられました。その際に持ち帰られた紙吹雪も、「博覧会資料COLLECTION」に残されています。

――

ここに示す年表は、国内で開催されたすべての博覧会を記載しているわけではありません。漏れ落ちている博覧会も多数あります。たとえば明治期の京都博覧会のように、毎年、開催された催事の場合には、年表には「博覧会資料COLLECTION」に資料が託されている年次のみ記載しています。

――

私たちは、正確かつ完璧な年表の作成を期するものではありません。日本国内にあって、さまざまな規模、さまざまな主題の「博覧会」と称する催事が、多様な主体によって多彩に実施されてきた状況を、さらには「博覧会」という外来の概念が近代化の過程にあって日本社会に定着してきた経緯を、本年表から読み取っていただければ幸いです。

橋爪紳也

博覧会名　○＝BIE認定の博覧会	会期｜開会－閉会		開催地	会場	主催者
◎ ロンドン万国博覧会	1851/5/1	1851/10/11	イギリス	ロンドン・ハイドパーク公園	
ニューヨーク万国博覧会	1853/7/14	1854/11/1	アメリカ	ニューヨーク・ブライアント公園	
◎ パリ万国博覧会	1855/5/15	1855/11/15	フランス	パリ・シャンゼリゼ	
◎ ロンドン万国博覧会	1862/5/1	1862/11/1	イギリス	ケンジントン公園	
◎ パリ万国博覧会	1867/4/1	1867/11/3	フランス	シャン・ド・マルス庭園	
大学南校博覧会(物産会)	1871/5/14	1871/5/20	東京都	九段招魂社境内	大学南校物産局
京都博覧会	1871/10/10	1871/11/11	京都府	西本願寺大書院	京都博覧会社 (三井八郎右衛門 小野善助 熊谷直孝)
両国博覧会	1871/10/20	1871	東京都	両国万八楼	
名古屋博覧会	1871/11/11	1871/11/15	愛知県	大須・総見寺	
土浦博覧会	1871	1871	茨城県	土浦等巌寺	
高知博覧会	1871	1871	高知県	高知城	
第1回京都博覧会	1872/3/10	1872/5/30	京都府	西本願寺・知恩院・建仁寺	京都博覧会社
文部省博覧会(湯島聖堂博覧会)	1872/3/10	1872/4/29	東京都	湯島聖堂大成殿	文部省博物局
和歌山博覧会	1872/5/20	1872/6/10	和歌山県	鷺森本願寺	
厳島博覧会	1872/6/10	1872/7/10	広島県	厳島千畳閣大聖院	広島県
額田博覧会	1872/6/16	1872/6/29	愛知県	岡崎専福寺	額田県物産会社
徳島旧城展覧会	1872	1872	徳島県	徳島城	
金沢展覧会	1872/9/16	1872/10/16	石川県	兼六園内巽新殿	石川県
第2回京都博覧会	1873/3/13	1873/6/10	京都府	京都御所 仙洞御所	京都博覧会社
伊勢山田博覧会	1873/3/15	1873/5/31	三重県	伊勢山田大世古町元御師龍太郎邸	度会県 神宮司庁
茨城博覧会	1873/3/15	1873/3/30	茨城県		
大宰府博覧会	1873/3/20	1873/4/20	福岡県		尾崎臻 西高辻信巌 三木隆助
金刀比羅宮博覧会	1873	1873	香川県	金刀比羅宮	
東京山下門内博物館博覧会	1873/4/15	1873/7/31	東京都	東京山下門内博物館	内務省博覧会事務局
高知博覧会	1873	1873	高知県	高知城	
◎ ウィーン万国博覧会	1873/5/1	1873/10/31	オーストリア	ウィーン・プラーデル公園	
筑摩県博覧会(松本博覧会)	1873/11/10	1873/12/24	長野県	松本城	松本博覧会社
奈良博覧会	1873	1873	奈良県	東大寺真言院	
宮城博覧会	1873	1873	宮城県	仙台	
島根博覧会	1873	1873	島根県	出雲大社	
岡山博覧会	1873	1873	岡山県		
第3回京都博覧会	1874/3/1	1874/6/8	京都府	京都御所・仙洞院	京都博覧会社
東京山下門内博物館博覧会	1874/3/1	1874/6/10	東京都	東京山下門内博物館	内務省博覧会事務局
伊勢山田博覧会	1874/3/1	1874/5/31	三重県		度会県
飯田博覧会	1874/3/20	1874/4/20	長野県	飯田岩戸社	
松本博覧会	1874/4/15	1874/6/3	長野県	松本城天守閣	松本博覧会社
名古屋博覧会	1874/5/1	1874/6/10	愛知県	東本願寺名古屋別院	愛知県下博覧会社
聖堂書画大展観	1874/5/1	1874/5/31	東京都	湯島聖堂大成殿	博覧会事務局
木曽福島博覧会	1874/5/10	1874/8/25	長野県	木曽福島興禅寺	福島博覧会社
青森博覧会	1874/5/14	1874	青森県	東奥義塾	博覧会社
伊賀上野博覧会	1874/5/15	1874/6/13	三重県	伊賀上野旧津県支庁	伊賀上野博覧会社
高島博覧会	1874/5/17	1874/6/5	長野県	上諏訪正願寺	高島博覧会社
新潟博覧会	1874/6/1	1874/7/4	新潟県	白山神社	新潟県
金沢博覧会	1874/6/16	1874/7/31	石川県	金沢市兼六園内東別院	石川県
大町博覧会	1874/7/1	1874/7/10	長野県	大町旧陣屋	大町博覧会社
高遠博覧会	1874/7/20	1874/8/10	長野県	高遠満願寺	高遠博覧会社
木曽福島博覧会	1874/8/15	1874/8/25	長野県	木曽福島興禅寺	福島博覧会社
大宰府博覧会	1874/9/20	1874/10/19	福岡県	西高辻信巌居宅	
奈良博覧会	1874	1874	奈良県	東大寺大仏殿	
飯田博覧会	1875/1/20	1875/2/18	長野県	飯田峰高寺	
吉原博覧会	1875/2/15	1875/3/16	東京都	江戸町金瓶楼	俵屋和助 泉屋忠兵衛ほか吉原楼主
第4回京都博覧会	1875/3/15	1875/6/22	京都府	京都御所・仙洞御所・大宮御所	京都博覧会社
熊本博覧会	1875/4/1	1875/5/30	熊本県	白川県熊本錦山神社	熊本博覧会社
第1回奈良博覧会	1875/4/1	1875/6/19	奈良県	東大寺大仏殿	奈良博覧会社
京都・本願寺集覧会	1875/4/1	1875	京都府	本願寺	本願寺
長野博覧会	1875/7/1	1875/8/19	長野県	善光寺大勧進	長野博覧会会主
大分展覧会	1875	1875	大分県		
第5回京都博覧会	1876/3/15	1876/6/22	京都府	京都御所・仙洞御所・大宮御所	京都博覧会社
第2回奈良博覧会	1876/3/15	1876/6/25	奈良県	東大寺大仏殿	奈良博覧会社
大阪博物場大会(大阪博覧会)	1876/3/15	1876/6/22	大阪府	大阪博物場	大阪博物場
堺県博覧会	1876/4/1	1876/6/1	大阪府	堺・南宗寺	
宮城博覧会(宮城県博覧会)	1876/4/15	1876/7/3	宮城県	仙台・桜ヶ丘公園	宮城県
長野博覧会	1876/4/15	1876/7/3	長野県	善光寺大勧進	小宮山三左衛門ほか6名
彦根城博覧会	1876/5/3	1876/6/1	滋賀県	彦根城	
◎ フィラデルフィア万国博覧会	1876/5/10	1876/11/10	アメリカ	フェアモント公園	
富山博覧会	1876/9/1	1876/9/20	富山県	富山市梅沢町大法寺	
第3回奈良博覧会	1877	1877	奈良県	東大寺大仏殿	奈良博覧会社
第6回京都博覧会	1877/3/10	1877/6/22	京都府	仙洞旧院 大宮御所	京都博覧会社
堺博覧会	1877/4/10	1877/6/8	大阪府	南宗寺	堺博物館
愛媛博覧会	1877/4/10	1877/5/29	愛媛県	松山公園	
第1回秋田博覧会	1877/5/15	1877/6/14	秋田県	秋田・佐竹義純別邸	

博覧会名	◎=BIE認定の博覧会	会期 開会−閉会		開催地	会場	主催者
	第1回内国勧業博覧会	1877/8/21	1877/11/30	東京都	上野公園	日本政府
	第7回京都博覧会	1878/3/15	1878/6/22	京都府	仙洞御所 大宮御所	京都博覧会社
	松山全国物産博覧会	1878/3/20	1878/5/8	愛媛県	松山城公園	松山博覧会社
	第4回奈良博覧会	1878	1878	奈良県	東大寺大仏殿	奈良博覧会社
	北海道農業博覧会	1878	1878	北海道	札幌	
◎	パリ万国博覧会	1878/5/20	1878/11/10	フランス	シャン・ド・マルス庭園	政府・民間(日本参加)
	第2回秋田博覧会	1878	1878	秋田県	八橋植物園	
	愛知県博覧会	1878/9/15	1878/11/3	愛知県	総見寺境内	名古屋博物館
	高松博覧会(琴平山博覧会)	1879/3/1	1879/6/30	香川県	金比羅宮	琴平山博覧会社
	第5回奈良博覧会	1879/3/10	1879/5/4	奈良県	東大寺大仏殿	奈良博覧会社
	長崎博覧会	1879/3/15	1879/6/12	長崎県	長崎公園	
	第8回京都博覧会	1879/3/15	1879/6/22	京都府	仙洞御所 大宮御所	京都博覧会社
	大阪博覧会	1879/3/15	1879/6/22	大阪府	大阪府立博物場	大阪府
	岡山博覧会	1879/4/1	1879/4/14	岡山県	岡山城	岡山県
	筑波博覧会	1879/4/10	1879/8/9	茨城県	筑波神社境内	筑波町民間人
◎	シドニー万国博覧会	1879/9/17	1880/4/27	オーストラリア	シドニー	
	農業博覧会	1879/10/11	1879/10/15	北海道	函館海岸町	
	全国大博覧会	1879	1879	栃木県	中禅寺大御堂跡	
	奈良博覧会	1880/3/10	1880/5/29	奈良県	大仏殿内	
	琴平山博覧会	1880/3/15	1880/6/15	愛媛県	琴平宮神社	愛媛県
	第9回京都博覧会	1880/3/15	1880/6/8	京都府	仙洞御所 大宮御所	京都博覧会社
	長崎博覧会	1880/4/1	1880/5/20	長崎県	長崎公園	長崎県博覧会本部
	第2回愛知県博覧会	1880/4/1	1880/5/20	愛知県	名古屋博物館	愛知県
	茨城博覧会	1880/4/10	1880/6/28	茨城県	筑波神社境内	
	大分博覧会	1880/4/10	1880/6/10	大分県	大分郡大分町	大分県
	秋田博覧会	1880/4/15	1880/6/13	秋田県	八橋植物園	
	宮城県博覧会	1880/8/10	1880/10/8	宮城県	仙台西公園	宮城県
◎	メルボルン万国博覧会	1880/10/1	1881/4/30	オーストラリア	メルボルン	
	第10回京都博覧会	1881/3/1	1881/6/8	京都府	御苑	京都博覧会社
	第2回内国勧業博覧会	1881/3/1	1881/6/30	東京都	上野公園	日本政府
	奈良博覧会	1881	1881	奈良県		
	第11回京都博覧会	1882/3/1	1882/6/8	京都府	御苑	京都博覧会社
	第12回京都博覧会	1883/3/1	1883/6/8	京都府	御苑	京都博覧会社
	第1回水産博覧会	1883/3/1	1883/6/8	東京都	上野公園内旧勧業博覧会会場跡	農商務省
	第13回京都博覧会	1884/3/1	1884/6/8	京都府	御苑	京都博覧会社
	洲本博覧会	1884/5/11	1884/5/25	広島県	厳島神社	
	第14回京都博覧会	1885/3/1	1885/6/8	京都府	御苑	京都博覧会社
◎	プロヴディフ国際博覧会	1885/11/4	1985/11/30	ブルガリア	プロヴディフ	
	煙草博覧会	1887	1887	栃木県		
◎	バルセロナ万国博覧会	1888/4/8	1888/12/10	スペイン	バルセロナ	
◎	パリ万国博覧会	1889/5/5	1889/10/31	フランス	パリ・シャン・ド・マルス	
	第7回内国益品博覧会	1889	1889	--		
	全国意匠博覧会	1889	1889	--		
	第3回内国勧業博覧会	1890/4/1	1890/7/31	東京都	上野公園	日本政府
	京都美術博覧会	1890/4/2	1890/6/1	京都府	御苑	京都博覧会社
	変動物共進博覧会	1890	1890	--		
	第17次奈良博覧会(美術工芸博)	1893/3/1	1893/5/28	奈良県	奈良博覧会社	
◎	シカゴ万国博覧会	1893/5/1	1893/10/3	アメリカ	シカゴ・ジャクソン公園	
	富山市設博覧会	1894	1894	富山県		
	第4回内国勧業博覧会	1895/4/1	1895/7/31	京都府	京都市岡崎公園	日本政府
	創立25周年記念博覧会	1897/4/1	1897/5/20	京都府	岡崎公園博覧会館	京都博覧協会
◎	ブリュッセル万国博覧会	1897/5/10	1897/11/8	ベルギー	ブリュッセル	
	第2回水産博覧会	1897/9/1	1897/11/30	兵庫県	神戸市・楠町 和田岬	農商務省
	第1回婦人製品博覧会	1898/4/11	1898/5/15	京都府	岡崎公園博覧会館	京都博覧協会
	全国意匠工芸博覧会	1899/4/1	1899/5/20	京都府	岡崎公園博覧会館	京都博覧協会
	全国貿易品博覧会	1900/4/1	1900/5/30	京都府	岡崎公園博覧協会	京都博覧協会
◎	パリ万国博覧会	1900/4/15	1900/11/12	フランス	パリ・トロカデロ公園他	
	全国製産品博覧会	1901/4/1	1901/5/20	京都府	岡崎公園博覧会館	京都博覧協会
	汎アメリカ博覧会	1901	1901	アメリカ	バッファロー	
	第2回全国製産品博覧会	1902/4/1	1902/5/20	京都府	岡崎公園博覧会館	京都博覧協会
	東洋農工技芸万国博覧会	1902/11/3	1902	仏領インドシナ	ハノイ	
	第5回内国勧業博覧会	1903/3/1	1903/7/31	大阪府	天王寺今宮	日本政府
	京都物産陳列館博覧会	1903/3/15	1903/7/12	京都府	岡崎公園博覧会館	京都博覧会社
	第3回全国製産品博覧会	1904/4/1	1904/6/9	京都府	岡崎公園博覧会館	京都博覧協会
◎	セントルイス万国博覧会	1904/4/30	1904/12/1	アメリカ	セントルイス・フォレスト公園	
	第4回全国製産品博覧会	1905/4/1	1905/5/31	京都府	岡崎公園博覧会館	京都博覧協会
◎	リエージュ万国博覧会	1905/4/27	1905/11/6	ベルギー	リエージュ	
	ルイスラーク100年記念万国博覧会	1905/6/1	1905/10/15	アメリカ	ポートランド	
	戦捷記念博覧会	1906/3/15	1906/5/31	大阪府	天王寺公園	
	凱旋記念内国産品博覧会	1906/4/1	1906/5/31	京都府	岡崎公園博覧会館	京都博覧協会
◎	ミラノ万国博覧会	1906/4/28	1906/11/11	イタリア	ミラノ	
	巡航博覧会	1906/9/10	1906	国内各地	ロゼッタ丸	報知新聞社

博覧会名 ◎=BIE認定の博覧会	会期 開会	閉会	開催地	会場	主催者
汽車博覧会	1906	1906	国内各地	汽車	大阪時事新聞社
こども博覧会	1906/10/1	1906/11/5	東京都	上野公園	同文館
こども博覧会	1906/11/1	1906/11/25	京都府	岡崎公園 博覧会会館	京都市教育会
こども博覧会	1906	1906	大阪府	府立博物場	
凱旋記念博覧会	1906	1906	愛知県	名古屋市	報知新聞社
東京勧業博覧会	1907/3/20	1907/7/31	東京都	上野公園・不忍池畔	東京府
郵便博覧会	1907/6/24	1907/7/23	東京都	芝公園・郵便博物館	通信省
京城博覧会	1907/8/8	1907/9/15	朝鮮	京城	
名古屋博覧会	1907	1907	愛知県		
第5回全国製産品博覧会	1908/4/1	1908/5/31	京都府	岡崎公園博覧会館	京都博覧協会
台湾汽車博覧会	1908/5/22	1908/6/3	台湾	台湾各地	
第6回全国製産品博覧会	1909/4/1	1909/5/31	京都府	岡崎公園博覧会館	京都博覧協会
第1回発明品博覧会	1909/4/1	1909/5/20	東京都	竹の台	工業所有権保護協会
第1回児童博覧会	1909/4/1	1909/5/31	東京都	三越呉服店	
第2回全国特産品博覧会	1909	1909	東京都	上野公園	帝国勧業協会
全国履物品博覧会	1909	1909	東京都	上野公園	東京勧業協会
アラスカ・ユーコン太平洋博覧会	1909	1909	アメリカ	シアトル	
桓武天皇即位2570年 大日本産業博覧会	1909	1909	大阪府		
内国生産品博覧会	1909	1909	--		
第2回児童博覧会	1910/3/1	1910/4/1	東京都	三越	
第2回日本産業博覧会	1910/4/1	1910/5/31	大阪府		日本産業協会
第7回全国製産品博覧会	1910/4/1	1910/5/31	京都府	岡崎公園博覧会館	京都博覧協会
第1回日本産業博覧会	1910/4/1	1910/5/31	大阪府		日本産業協会
第1回貿易品博覧会	1910/4/1	1910/5/31	東京都	上野公園	東京勧業協会
◎ ブリュッセル万国博覧会	1910/4/23	1910/11/7	ベルギー	ブリュッセル	
東京実演博覧会	1910/5/1	1910/10/15	東京都	芝浦埋立地・ロゼッタ丸	
南洋勧業会	1910/6/5	1910/11/29	清国	南京	南洋勧業会
日英博覧会	1910/5/14	1910/10/31	イギリス	ロンドン	
北海道汽車博覧会	1910	1910	北海道	汽車	小樽新聞社
第3回全国特産品博覧会	1910	1910	--		
第2回こども博覧会	1911/3/15	1911/6/8	大阪府	大阪府立博物場	
第1回日本文具教育品博覧会	1911/3/15	1911/5/15	東京都	東京市芝公園勧工場	日本文具教育品博覧会
第3回児童博覧会	1911	1911	東京都	三越呉服店	
第3回日本産業博覧会	1911/4/1	1911/5/31	大阪府		日本産業協会
京都博覧協会創立40年記念 全国製産品博覧会	1911/4/1	1911/5/31	京都府	岡崎公園博覧会館	京都博覧協会
第1回帝国菓子飴大品評会	1911/4/10	1911/4/18	東京都	赤坂溜池・三会堂	
伊太利建国50年記念万国産業博覧会 (チュラン万国産業博覧会)	1911	1911	イタリア	ローマ・トリノ	
島根県子供博覧会	1911/5/16	1911/5/29	島根県	松江城山	
第1回納涼博覧会	1911	1911	東京都	上野公園	やまと新聞社
納涼博覧会	1911/7/11	1911/8/31	大阪府	天王寺公園	大阪日報社
山林こども博覧会	1911/10/10	1911/10/29	大阪府	箕面動物運動場・公会堂	箕面有馬電鉄
第4回全国特産品博覧会	1911	1911	--		
長崎子供博覧会	1911/11/1	1911/11/10	長崎県	長崎市新大工町舞鶴座	
第4回児童博覧会	1912	1912	東京都	三越呉服店	
第4回日本産業博覧会	1912/4/1	1912/5/31	大阪府		日本産業協会
第8回全国製産品博覧会	1912/4/1	1912/5/31	京都府	岡崎公園博覧会館	京都博覧協会
日本大博覧会(幻の万国博覧会)	1912/4/1	1912/10/31	東京都	青山練兵場(現在の神宮外苑)・代々木ほか	日本政府
第2回帝国菓子飴大品評会	1912/4/9	1912/4/26	石川県	金沢兼六公園前田別邸	
第2回こども博覧会	1912/4/15	1912/5/5	愛知県	松坂屋名古屋店	
山陰鉄道開通記念全国特産品博覧会	1912/5/10	1912/6/10	鳥取県		
第2回納涼博覧会	1912	1912	東京都	上野公園	やまと新聞社
大日本共産博覧会(安来大博覧会)	1912/8/16	1912/9/14	島根県	安来港周辺	
拓殖博覧会	1912/10/1	1912/11/29	東京都	上野公園・不忍池畔	北海道出品協会
第6回全国特産品博覧会 紀元2572年	1912	1912	--		
納涼博覧会	1912	1912	東京都	上野公園	やまと新聞社
岡山児童博覧会	1912	1912	岡山県	東山公園	
第7回全国特産品博覧会	1912	1912	岡山県		
旅行博覧会	1913/2/15	1913/3/28	大阪府	大阪府立博物場	旅行博覧会
婦人博覧会	1913/3/23	1913/5/21	兵庫県	宝塚新温泉	
第5回日本産業博覧会	1913/4/1	1913/5/31	大阪府		日本産業協会
舞鶴築港記念全国物産博覧会	1913/4/20	1913/5/15	京都府	舞鶴町	京都府 舞鶴町
明治記念拓殖博覧会	1913/4/21	1913/6/19	大阪府	天王寺公園 勧業館美術館	大阪商工会
◎ ヘント万国博覧会	1913/4/26	1913/11/3	ベルギー	ヘント	
明治記念博覧会	1913/6/25	1913/8/31	東京都	上野公園不忍池畔	やまと新聞社
関西教育博覧会	1913/7/15	1913/8/16	大阪府	天王寺	
化学工業博覧会	1913	1913	--		
第8回全国特産品博覧会	1913	1913	--		
全国物産博覧会	1913	1913	--		
第2回発明品博覧会	1914/3/15	1914/5/13	大阪府	天王寺公園	帝国発明協会・大阪実業協会
東京大正博覧会	1914/3/20	1914/7/31	東京都	上野公園 不忍池畔 青山練兵場 芝浦	東京府

博覧会名｜◎＝BIE認定の博覧会	会期｜開会−閉会		開催地	会場	主催者
全国美術工芸博覧会	1914/4/1	1914/5/31	京都府	岡崎公園勧業館	京都博覧協会・京都美術協会
婚礼博覧会	1914/4/1	1914	兵庫県	宝塚新温泉	
第6回日本産業博覧会	1914/4/1	1914/5/31	大阪府		日本産業協会
長崎開港350年 全国特産品博覧会	1914	1914	長崎県		
第2回納涼博覧会	1914/7/11	1914	大阪府	千日前・楽天地	大阪日報社
戦勝記念博覧会	1914	1914	東京都	上野公園	やまと新聞社
南洋スマラン博覧会	1914/8/20	1914/11/22	オランダ領東インド	ジャワ島	
第2回明治記念博覧会	1914/9/15	1914/12/15	大阪府	天王寺公園	中国民報社
大典記念神戸博覧会	1914/10/1	1915/11/29	兵庫県	湊川公園勧業館	神戸新聞社
独逸工作文化連盟博覧会	1914	1914	--		
関西教育博覧会	1914	1914	--		
第10回全国特産品博覧会	1914	1914	--		
◎ パナマ・太平洋万国博覧会	1915/2/20	1915/12/4	アメリカ	サンフランシスコ	
家庭博覧会	1915	1915	兵庫県	宝塚新温泉内	
戦捷記念博覧会	1915/4/1	1915/5/21	京都府	岡崎公園勧業館	京都博覧協会 京都美術協会
第7回日本産業博覧会	1915/4/1	1915/5/31	大阪府	天王寺公園	日本産業協会
家庭博覧会	1915/5/1	1915	東京都	上野公園	国民新聞社
江戸記念博覧会	1915/7/10	1915/10/10	東京都	上野公園	中央新聞社
大阪衛生博覧会	1915/7/15	1915/8/30	大阪府	天王寺公園	大阪衛生組合連合会
大礼記念大阪博覧会	1915/10/1	1915/11/30	大阪府	天王寺公園 勧業館 美術館	大阪商業会議所 大阪府重要物産同業組合 大阪実業協会
大典記念京都博覧会	1915/10/10	1915/12/19	京都府	岡崎公園	京都市
大礼記念交通電気博覧会	1915	1915	--		
海事水産博覧会	1916/3/20	1916/5/23	東京都	上野公園・不忍池畔	帝国海事協会・大日本水産会
芝居博覧会	1916/3/29	1916/5/21	兵庫県	宝塚新温泉内	
第3回納涼博覧会	1916/7/20	1916/9/5	大阪府	天王寺公園	関西日報社
婦人子供博覧会	1916/9/15	1916/11/26	東京都	上野公園・不忍池畔	読売新聞社
通俗教育こども博覧会	1916/10/15	1916/11/15	京都府	岡崎公園第二勧業館	
第14回全国特産品博覧会	1916	1916	--		
ご即位記念全国特産品博覧会	1916	1916	--		
立太子記念国産奨励博覧会	1916	1916	--		
第15回全国特産品博覧会	1916	1916	--		
奠都50年記念博覧会	1917/3/20	1917/5/31	東京都	上野公園・不忍池畔	読売新聞社
京都博覧会	1917/4/1	1917/5/31	京都府	岡崎公園勧業館	京都博覧会協会・京都美術協会
第8回日本産業博覧会	1917/4/1	1917/6/7	大阪府	日本産業博覧会	
津山産業博覧会	1917/4/20	1917/5/19	岡山県	津山	
第18回全国特産品博覧会	1917/6/2	1917/7/8	新潟県	新潟市白山神社畔の 新潟県物産陳列館内本館及び参考館	大日本実業協会
第1回化学工業博覧会	1917/9/20	1917/11/18	東京都	上野公園・不忍池畔	化学工業協会
大阪府立商品陳列所新築落成記念博覧会	1917/11/5	1917/12/10	大阪府	大阪府立商品陳列所	大阪府立商品陳列所
若松開港全国特産品博覧会	1917	1917	福岡県		
福山市制全国特産品博覧会	1917	1917	広島県		
維新50年記念博覧会	1917	1917	--		国産奨励協会
神戸市衛生博覧会	1917	1917	兵庫県		
第18回全国特産品博覧会	1917	1917	--		
日独戦捷記念全国特産品博覧会	1917	1917	--		
電気博覧会	1918/3/20	1918/5/20	東京都	上野公園・不忍池畔	電気協会
第16回京都博覧会	1918/4/1	1918/5/31	京都府	岡崎公園勧業館	京都博覧協会・京都美術協会
大阪化学工業博覧会	1918/4/15	1918/6/15	大阪府	天王寺公園	大阪商業会議所
日本はきもの博覧会	1918/4/22	1918/5/12	東京都	松坂屋	
日本女性美博覧会	1918	1918	大阪府	大阪千里山花壇	
広告意匠博覧会	1918	1918	東京都	農商務省陳列館	
空中文明博覧会	1918/7/10	1918	東京都	上野公園竹之台	国民飛行会
第2回婦人子供博覧会	1918/7/11	1918/9/8	東京都	上野公園・不忍池畔	読売新聞社
開道50年記念北海道博覧会	1918/8/1	1918/9/19	北海道	札幌、函館、小樽	北海道農友会
広告意匠博覧会	1918	1918	京都府	京都商品陳列館	農商務省
第22回全国特産品博覧会 紀元2578年	1918	1918			帝国実業協会
鳥取市制30年記念全国特産品博覧会	1918	1918	鳥取県	扇邸仁風閣、県会議事堂、公会堂	
宝塚こども博覧会	1918	1918	兵庫県	宝塚	
大阪拓殖博覧会	1918	1918	大阪府		大阪商工会
婦人こども博覧会	1919/3/15	1919/5/20	大阪府		大阪朝報社
畜産工芸博覧会	1919/3/18	1919/5/31	東京都	上野公園・不忍池畔	中央畜産会
第3回全国菓子飴大品評会	1919/3/20	1919/4/5	大阪府	大阪商品陳列所	
全国染織工業博覧会	1919/4/1	1919/5/31	京都府	岡崎公園勧業館・京都商品陳列所	京都博覧協会・京都美術協会連合
上海日華貿易博覧会	1919/4/20	1919/5/20	中華民国	上海英租界三馬路天外旧跡	上海日華貿易博覧会
第8回紙製品博覧会	1919/5/8	1919	東京都	農商務省商品陳列館	
平和記念家庭博覧会	1919/7/1	1919/8/31	東京都	上野公園池の端	国産奨励会
戦捷記念全国衛生博覧会	1919/7/13	1919/8/31	京都府	京都市岡崎勧業館	京都市連合衛生組合
貿易博覧会	1919/9/1	1919/12/10	大阪府	府立商品陳列所	大阪府
第2回美術工芸博覧会	1919	1919	愛知県	愛知県商品陳列所	
平和記念夏の夜博覧会	1919	1919	高知県	高知市	
銀婚式奉祝内国勧業博覧会	1919	1919	岐阜県		

博覧会名　◎=BIE認定の博覧会	会期|開会	閉会	開催地	会場	主催者
世界大戦平和記念全国特産品博覧会	1919	1919	--		
電通大阪支局創立15年記念新聞博覧会	1920/3/10	1920/5/31	大阪府	天王寺公園	日本電報通信社
福岡工業博覧会	1920/3/20	1920/5/10	福岡県		福岡市
全国勧業博覧会	1920/4/1	1920/5/20	京都府	岡崎公園勧業館特設館	京都博覧協会 京都美術協会
生活改造博覧会	1920/4/20	1920/5/31	大阪府	大阪商品陳列所	桜楓会
時博会	1920/7/1	1920/9/5	大阪府	大阪商品陳列所	清友会
婦人博覧会	1920/10/1	1920/10/31	東京都	三越呉服店	
大分県物産紹介博覧会	1920/10/1	1920/10/30	大阪府	大阪商品陳列所	大分県大阪県人会
国際貿易博覧会	1920	1920	東京都		
内外風俗博覧会	1920	1920	大阪府	三越呉服店	
家庭博覧会	1920	1920	奈良県		
街路博覧会	1920	1920	香川県	琴平町	琴平町
街路博覧会	1920	1920	大分県	別府	別府市
平和記念航空博覧会	1920	1920	東京都		
大正衛生博覧会	1921/3/2	1921/4/20	東京都	両国国技館	大日本衛生普及会
拓殖博覧会	1921/3/15	1921/5/13	大分県	大分市	大分県
内外産業博覧会	1921/3/20	1921/5/22	京都府	岡崎公園勧業館特設館	京都博覧協会
児童衛生博覧会	1921/3/21	1921/5/1	大阪府	大阪商品陳列所	大阪府衛生会
航空博覧会	1921/3/31	1921	大分県	別府市	
第4回全国菓子飴大品評会	1921/4/1	1921/4/15	広島県	広島市商品陳列所(現原爆ドーム)	広島菓子業製菓両組合
畜産博覧会	1921/4/30	1921/5/9	東京都	陸軍省被服工廠跡	
第9回児童博覧会	1921/7/1	1921/8/9	東京都	三越呉服店	
戦後発展全国工業博覧会	1921/7/5	1921/9/5	京都府	岡崎公園	
婦人博覧会	1921/10/1	1921/10/13	大阪府	三越呉服店	
優良品及び商標宣伝博覧会	1921/10/1	1921/11/19	大阪府		帝国発明協会
北海道拓殖博覧会	1921	1921	北海道	函館・湯乃川	函館市
大正衛生博覧会	1921	1921	広島県	呉市本通9丁目世界館跡	
化学博覧会	1921	1921	--		
平和記念東京博覧会	1922/3/10	1922/7/31	東京都	上野公園・不忍池畔	東京都
第1回家庭博覧会	1922/3/20	1922/5/31	京都府	岡崎公園勧業館	京都博覧協会
大阪計量博覧会	1922/4/1	1922/4/30	大阪府	大阪府立商品陳列所	計量革新会
活動写真博覧会	1922/5/20	1922/6/11	--		学校映画協会
住宅改造博覧会	1922/9/21	1922/10/20	大阪府	箕面桜ヶ丘	日本建築学会
全国商工博覧会	1922	1922	三重県	四日市	
家庭博覧会	1922	1922	福岡県		福岡市
清水築港記念殖産興業博覧会	1922	1922	静岡県	清水市	帝国産業協会
全国紙業博覧会	1922	1922	福井県		
京都納涼博覧会	1922	1922	京都府		
全国商工博覧会	1922	1922	--		
第3回発明品博覧会	1923/3/20	1923/5/18	東京都	上野公園・不忍池畔	帝国発明協会
第2回家庭博覧会	1923/3/20	1923/5/20	京都府	岡崎公園勧業館 二条疎水	京都博覧協会
第5回全国菓子飴大品評会	1923/3/25	1923/4/9	福岡県	福岡商品陳列所	
裏日本鉄道開通・新舞鶴開港記念博覧会	1923/4/1	1923/5/10	京都府	新舞鶴	
岸和田市制記念博覧会	1923/4/10	1923/5/31	大阪府	岸和田城	岸和田市
東京湾納涼博覧会	1923	1923	千葉県	北条町長須賀	
大阪市電気軌道開業満20年交通博覧会	1923/10/20	1923/11/30	大阪府	天王寺公園 勧業館 大阪市民博物館 旧住友邸(慶沢園)	大阪市
樺太博覧会	1923	1923	北海道	樺太	
大牟田産業博覧会	1923	1923	福岡県		
神戸開港博覧会	1923	1923	兵庫県		
熊本産業博覧会	1923	1923	熊本県		
全国紙業博覧会	1923	1923	福井県		
市制満5周年記念博覧会	1923	1923	愛知県	大垣	大垣市
全国商工品博覧会	1923	1923	愛媛県		
電気工業博覧会	1923	1923	愛知県	名古屋	
関町合併鉄道開通内国勧業博覧会	1923	1923	--		
工藝文化博覧会	1923	1923/7/31	大阪府	天王寺公園	
東宮殿下御成婚奉祝万国博覧会参加50年記念御会	1924/3/20	1924/5/20	京都府	岡崎公園	京都市
第4回大阪産業工芸博覧会	1924/3/20	1924/5/20	大阪府		大阪府・市・商工会議所
納涼博覧会	1924/7/3	1924/8/26	大阪府		大阪万朝報社
羽越線全通記念博覧会	1924/8/20	1924/9/23	新潟県		
空想天国まんが博	1924/10/1	1924/11/20	大阪府	あやめ池遊園地	大阪日日新聞社
子供の博覧会	1924	1924	長崎県		長崎市
大英帝国博覧会	1924	1925	イギリス	ロンドン	
納涼博覧会	1924	1924	東京都	国技館	読売新聞社
第2回畜産工芸博覧会	1925/3/10	1925/5/18	東京都	上野公園	中央畜産会
大大阪記念博覧会	1925/3/15	1925/4/30	大阪府	天王寺公園・大阪城	大阪毎日新聞社
優良国産博覧会	1925/3/20	1925/5/25	京都府	岡崎公園勧業館	京都博覧協会
新農業博覧会	1925/3/21	1925/5/10	三重県	宇治山田市	名古屋新聞社
日本絹業博覧会	1925/4/10	1925/5/28	兵庫県	神戸港海岸埋立地・湊川公園	兵庫県博覧協会
万国現代装飾美術工芸博覧会(アールデコ博)	1925/4/28	1925/11/30	フランス	デ・サンヴァリード・セーヌ河畔 グランパレ	

博覧会名　◎＝BIE認定の博覧会	会期 開会	閉会	開催地	会場	主催者
海洋に関する博覧会	1925/6/11	1925/7/20	新潟県	新潟市	
コドモの趣味と衛生博覧会	1925/6/15	1925/7/10	兵庫県	湊川公園	
大正天皇御銀婚式奉祝記念国産博覧会	1925	1925	--		
銷夏博覧会	1925/7/20	1925/9/5	大阪府	天王寺公園	大阪万朝報社
市制10周年記念大連勧業博覧会	1925/8/10	1925/9/18	満州国	大連西公園・電気遊園下	大連市
満州物産博覧会	1925	1925	満州国		
電気博覧会	1925	1925	東京都	上野公園	
北海道巡回汽車博覧会	1925	1925	北海道		
天理教祖40年祭記念博覧会	1925	1925	京都府	丹波	丹波市
ミュンヘン交通博覧会	1925	1925	ドイツ	ミュンヘン	
銀婚式記念高知納涼博覧会	1925	1925	高知県	高知	
皇孫御誕生記念こども博覧会	1926/1/13	1926/2/14	東京都	上野公園・不忍池畔	東京日日新聞社
第2回化学工業博覧会	1926/3/19	1926/5/17	東京都	上野公園	化学工業協会
国産発展博覧会	1926/3/20	1926/5/23	京都府	岡崎公園勧業館	京都博覧協会
電気大博覧会	1926/3/20	1926/5/31	大阪府	港区・八幡町天王寺公園	社団法人電気協会・関西支部
京阪教育博覧会	1926/4/1	1926/6/15	大阪府	ひらかた遊園	
全国産業博覧会	1926/4/1	1926/5/10	兵庫県	姫路城南練兵場	姫路商業会議所
第6回全国菓子飴大品評会	1926	1926	朝鮮	京城・総督府商品陳列所	
こども教育博覧会	1926/5/1	1926/6/10	大阪府		大阪朝報社
衛生大博覧会	1926/5/1	1926/6/20	大阪府	天王寺公園勧業館	大阪新報社 後援・大阪市衛生組合連合会
朝鮮大博覧会	1926/5/13	1926/6/11	朝鮮	京城・景福宮	朝鮮新聞社
フィラデルフィア万国博覧会	1926/5/31	1926/11/30	アメリカ	フィラデルフィア・リーグアイランド	政府・民間(日本参加)
新潟築港記念博覧会	1926/6/11	1926/7/20	新潟県	新潟新公園	新潟市
皇孫御誕生記念こども博覧会	1926/7/1	1926/8/20	京都府	岡崎公園	大阪毎日新聞社・東京日日新聞社
大納涼樺太博覧会	1926	1926	東京都	国技館	読売新聞社
国産振興博覧会	1926/8/1	1926/8/30	北海道	札幌中島公園・北海道商品陳列所	北海タイムス社
中外商業新報社創立50年記念 産業文化博覧会	1926/9/15	1926/10/15	東京都	上野公園不忍池畔	中外商業新報社
キネマと劇博覧会	1926/10/1	1926/11/30	大阪府	堺大浜	夕刊大阪新聞社
名古屋衛生博覧会	1926/10/1	1926/10/31	愛知県	名古屋第一高女跡	名古屋市総合衛生会
国産振興汽車博覧会	1926	1926	国内各地	東京・大阪・七大都市	
納涼博覧会	1926	1926	香川県		
国産奨励博覧会	1926	1926	京都府		
日光博覧会	1927/3/1	1927	東京都	国技館	読売新聞社
国産原動機博覧会	1927/3/15	1927/5/8	大阪府	天王寺公園勧業館	大阪国産振興会
東亜勧業博覧会	1927/3/25	1927/5/23	福岡県	西公園下・大濠埋立地	福岡市
大正歴史博覧会	1927/4/1	1927/5/31	東京都	上野公園	少年指導会
世界風俗博覧会	1927/4/7	1927	東京都	三越呉服店	
国鉄開通記念全国産業博覧会	1927/4/10	1927/5/14	愛媛県	城北練兵場	松山市
京都国産振興博覧会	1927/4/15	1927/5/10	京都府	岡崎公園	京都国産振興会・京都工芸品連合会
改元記念朝鮮産業博覧会	1927/6/1	1927/6/30	朝鮮	京城	京城日日新報社・朝鮮総督府
思想善導立正産業博覧会	1927/6/15	1927/8/15	東京都	上野公園	思想善導会
民衆納涼博覧会	1927/7/1	1927/8/31	東京都	上野公園	民衆通信社
朝鮮博覧会	1927/7/1	1927/8/31	東京都	国技館	京城日報社 毎申日報社
交通文化博覧会	1927/7/10	1927/8/31	大阪府	天王寺	帝国交通協会
昭和夏季博覧会	1927/7/15	1927/8/28	京都府	岡崎公園第2勧業館	京都博覧協会
全国産業博覧会	1927/9/11	1927/10/15	山形県	山形市第一小学校 山形商品陳列所 山形市役所 雁島公園 山形商業会議所	山形市
新日本殖産博覧会	1927/9/25	1927/11/15	東京都	上野公園不忍池畔	東京毎日新聞社
日光博覧会	1927/10/29	1927/11/20	大阪府	高島屋	美紳会
婦人とこども博覧会	1927/11/10	1927	東京都	東京博物館別館	読売新聞社
風俗大博覧会	1927	1927	福井県		
甲府勧業博覧会	1927	1927	山梨県	甲府市	甲府商工協会
平和記念博覧会	1927	1927	--		
西郷隆盛50年祭記念博覧会	1927	1927	鹿児島県	鴨池公園	
映画博覧会	1928/2/8	1928/2/18	愛知県	名古屋松坂屋	
婦人子供明治時代博覧会	1928/3/1	1928/3/15	大阪府	高島屋	大阪府教育部
御大礼記念博覧会	1928/3/1	1928	愛知県	安城市	愛知県安城市
第2回婦人こども博覧会	1928/3/15	1928/5/20	大阪府		大阪朝報社、大阪夕報社
全国産業博覧会	1928/3/20	1928/5/10	香川県	旧高松城	高松市
大日本勧業博覧会	1928/3/20	1928/5/18	岡山県	岡山練兵場・東山公園・鹿田駅跡	岡山市
大礼記念国産振興東京博覧会	1928/3/24	1928/5/22	東京都	上野公園・不忍池畔	東京商工会議所 国産振興会
明治文化博覧会	1928/4/1	1928/4/22	京都府	岡崎公園勧業館	京都美術協会・京都博覧協会
山梨電気博覧会	1928/4/1	1928/4/20	山梨県	甲府市	山梨電気協会
大礼記念全国商工博覧会	1928/4/1	1928/5/20	福島県	郡山麓	郡山商工連合会、郡山市
中外産業博覧会	1928/4/1	1928/5/20	大分県	第1会場・別府公園 第2会場・浜脇海岸	別府市
現代婦人キモノ博覧会	1928/4/8	1928/4/18	大阪府	高島屋	大阪府学務部
海の博覧会	1928/4/15	1928/6/3	宮城県	塩釜市	宮城県塩竈町
東北産業博覧会	1928/4/15	1928/6/3	宮城県	仙台川内・東西両公園	仙台商工会議所
海軍博覧会	1928	1928	福岡県	博多港	
御大典記念豊太閤博覧会	1928/6/1	1928/6/29	大阪府	高島屋長堀店	大阪府学務部教育部

博覧会名 ｜ ◎＝BIE認定の博覧会	会期 ｜ 開会−閉会		開催地	会場	主催者
御大典記念納涼博覧会	1928/7/1	1928/8/21	兵庫県	須磨遊園地	神戸新聞社
御慶事記念婦人子供博覧会	1928/7/1	1928/8/31	東京都	上野公園・不忍池畔	家庭文化協会
耶馬渓博覧会	1928/7/1	1928/8/31	東京都	両国国技館	読売新聞社
御大典記念内国勧業美術博覧会	1928/7/23	1928/8/25	福井県	高浜	帝国実業協会
御大典記念国産振興阪神大博覧会	1928/9/1	1928/11/30	兵庫県	甲子園	阪神博覧会協会
大礼記念国産振興生駒大博覧会	1928/9/15	1928/11/15	奈良県	生駒町(大軌停留所前)	大和日報社
御大典奉祝名古屋博覧会	1928/9/15	1928/11/23	愛知県	鶴舞公園	名古屋勧業協会
第7回全国菓子飴大品評会	1928/9/15	1928/9/29	岐阜県	岐阜市商品陳列所	
大礼記念京都大博覧会	1928/9/20	1928/12/25	京都府	岡崎公園	京都市
御大典記念世界一競べ博覧会	1928/9/23	1928/10/14	東京都	高島屋	大阪学務部・大阪商工会議所
大礼奉祝博覧会	1928/10/1	1928/11/21	東京都	上野公園	東京都毎夕新聞社
大礼奉祝交通電気博覧会	1928/10/1	1928/11/30	大阪府	第1会場・天王寺公園勧業館、第2会場・大阪市民博物館、第3会場・茶臼山住友邸跡	大阪市
国産化学工業博覧会	1928/10/1	1928/11/3	大阪府	大阪府立商工陳列所	大阪国産振興会
大礼記念昭和勧業博覧会	1928/10/1	1928/11/3	京都府	岡崎公園	
豊太閤博覧会	1928/10/5	1928/11/30	兵庫県	須磨花人形館	
御大典奉祝神戸博覧会	1928/10/15	1928/11/15	兵庫県	湊川	神戸出品協会
御大典記念全国馬匹博覧会	1928/10/25	1928/11/1	東京都	代々木	帝国馬匹協会
御大典記念こども博覧会	1928/11/1	1928/11/25	大阪府	三越呉服店	三越呉服店
芝居博覧会	1928	1928	兵庫県	阪神球場	
北海道一周汽車博覧会	1928	1928	北海道	汽車	大阪出品協会
大阪優良品協会博覧会	1928	1928	大阪府		大阪優良品協会
北海道博覧会	1929/1/3	1929/1/29	大阪府	高島屋	北海道庁
台湾博覧会	1929/3/1	1929/4/29	東京都	両国国技館	台湾総督府
大礼記念昭和勧業博覧会	1929/3/1	1929/4/30	京都府	岡崎公園	日本歴史会
昭和産業博覧会	1929/3/20	1929/5/13	広島県	西練兵場・比治山	広島市
国産振興窯業博覧会	1929/3/21	1929/6/10	愛知県	愛知県商品陳列所	愛知国産振興会
◎ バルセロナ万国博覧会	1929/5/20	1930/1/15	スペイン	バルセロナ	
国産奨励自動車航空機博覧会	1929/6/8	1929/7/17	東京都	上野公園・東京博物館別館	東京自動車学校
長崎県納涼博覧会	1929/7/1	1929/8/29	東京都	両国国技館	読売新聞社
保健衛生日本温泉博覧会	1929/8/1	1929/9/10	東京都	上野公園・不忍池畔	日本温泉協会
樺太博覧会	1929/8/1	1929/8/29	大阪府	高島屋長堀店	樺太庁
朝鮮博覧会	1929/9/12	1929/10/31	朝鮮	京城・旧景福宮	朝鮮総督府
納涼博覧会	1929	1929	東京都		
納涼博覧会	1929	1929	愛知県		
神戸博覧会	1929	1929	兵庫県		
岐阜市制30年記念 銀婚式奉祝内国勧業博覧会	1929	1929	岐阜県		
三河産業博覧会	1929	1929	愛知県	岡崎市	
乃木将軍と旅順開城大博覧会	1929	1929	大阪府	高島屋大阪店	
リエージュ産業科学万国博覧会	1930/1/1	1930/1/1	ベルギー	リエージュ	
名宝お人形博覧会	1930/1/4	1930/1/23	大阪府	高島屋長堀店	大阪市教育会
北海道拓殖博覧会	1930/3/1	1930/4/29	東京都	両国国技館	東京朝日新聞社
宗教大博覧会	1930/3/8	1930/5/6	京都府	岡崎公園、知恩院	日本歴史会、京都市、知恩院
御遷宮奉祝神都博覧会	1930/3/10	1930/5/10	三重県	宇治山田(度会郡役所跡)	宇治山田市
日本海海戦25周年記念 海と空の博覧会	1930/3/20	1930/5/31	東京都	上野公園・不忍池畔・横須賀	日本産業協会・三笠保存会
全国特産品博覧会	1930/3/20	1930/5/13	愛知県	豊橋市公園	豊橋市商工協会
鉄道博覧会	1930/4/16	1930/4/27	愛知県	松坂屋	
万国科学工業海洋植民博覧会	1930/5/3	1930/11/13	ベルギー	リエージュ・アントワープ	
台湾博覧会	1930/8/8	1930/8/30	大阪府	高島屋長堀店	台湾総督府
観艦式記念海港博覧会	1930/9/20	1930/10/31	兵庫県	中ノ島・港川公園他	神戸博覧会協会
善光寺博覧会	1930	1930	東京都	高島屋南伝馬町店	大本願大勧進・長野県
満蒙博覧会	1930/10/5	1930/10/20	長野県	諏訪片倉会館	信陽新聞社
福島産業博覧会	1930	1930	福島県		
宮崎産業博覧会	1930	1930	宮崎県		
酒田産業博覧会	1930	1930	山形県	酒田市	
豊島産業博覧会	1930	1930	愛媛県		
大阪拓殖博覧会	1930	1930	大阪府		大阪商工会
上野納涼博覧会	1930	1930	東京都		
フォード博覧会	1931/3/12	1931/3/23	岡山県	岡山偕楽園	横浜フォード自動車
生きた広告博覧会	1931/3/14	1931/3/27	東京都	松坂屋上野店	東京日日新聞社
全国産業博覧会	1931/3/15	1931/5/8	静岡県	浜松市元浜町・鴨池町	浜松市
第3回化学工業博覧会	1931/3/20	1931/4/10	東京都	上野公園	化学工業協会
国産振興博覧会	1931/4/1	1931/5/15	鹿児島県	鴨池公園	鹿児島商工会議所
第8回全国菓子飴大品評会	1931	1931	愛媛県	松山市商品陳列所	
小樽海港博覧会	1931/7/11	1931/8/20	北海道	小樽海岸埋立地	小樽市・小樽商工会議所
国産振興北海道拓殖博覧会	1931/7/12	1931/8/20	北海道	札幌市中島公園	北海道庁・札幌市役所・札幌市商工会議所
上越線全通記念長岡市博覧会	1931/8/21	1931/9/30	新潟県	長岡市中島町・寺泊港水族館	長岡市
教育博覧会	1931/9/1	1931/9/15	新潟県	長岡市坂之上町尋常小学校	新潟県教育委員会、長岡市教育委員会

博覧会名｜◎＝BIE認定の博覧会	会期｜開会	閉会	開催地	会場	主催者
呉服大博覧会	1931/10/1	1931/10/30	東京都	白木屋	全国織物組合
自動車市場博覧会	1931/10/1	1931/10/30	東京都	上野公園	日本産業協会
名古屋衛生博覧会	1931/10/1	1931/10/31	愛知県		
スポーツと映画博覧会	1931/10/15	1931/11/30	岡山県	偕楽園	山陽新聞社
中部地方名勝博覧会	1931	1931	愛知県		電通
こども家庭博覧会	1931/11/1	1931/11/30	東京都	浅草・松屋	東京日日新聞社
中部日本副業博覧会	1931/12/1	1931/12/10	愛知県	松坂屋	名古屋新聞社
満蒙権益博覧会	1932/2/1	1932/2/29	大阪府	大阪府立貿易館(本町橋)	
第4回発明博覧会	1932/3/20	1932/5/10	東京都	上野公園・不忍池畔	帝国発明協会
岡山観光博覧会	1932/4/1	1932/5/10	岡山	岡山	岡山商工協会
工業博覧会	1932/4/1	1932/5/25	愛知県	名古屋	名古屋勧業協会
満蒙大博覧会	1932/4/1	1932/12/31	大阪府	大阪城一帯	日刊工業新聞社
婦人博覧会	1932/4/6	1932/4/27	大阪府	高島屋	婦人倶楽部
産業と観光の大博覧会	1932/4/12	1932/6/5	石川県	第1会場・出羽町練兵場、第2会場・旧金沢城本丸跡	金沢市
満蒙支那大博覧会	1932/4/15	1932/5/29	京都府	岡崎公園	
飯塚市制記念産業博覧会	1932/4/20	1932/5/10	福岡県		福岡県飯塚市
日満大博覧会	1932/4/28	1932/6/25	京都府	東山三条古川町 大相撲場跡	
時局博覧会	1932/4/29	1932/5/13	広島県	旧軍・西練兵場(現在の広島県庁付近)、広島県立商品陳列所(原爆ドーム)	旧軍、広島市
第2回日光博覧会	1932/7/1	1932/7/24	大阪府	高島屋長堀店	
満州国大博覧会	1932/7/11	1932/9/10	東京都	国技館	読売新聞社
樺太納涼博覧会	1932/8/10	1932/8/26	愛知県	松坂屋	
台湾と南太平洋博覧会	1932/9/2	1932/9/26	東京都	松坂屋上野店	
満蒙軍事博覧会	1932/9/15	1932/11/10	愛知県	名古屋第3師団内	新愛知新聞社
満州事変一周年記念伸びゆく日本博覧会	1932/10/1	1932/10/31	岡山県	偕楽園	山陽新聞社
創立25周年記念婦人子供博覧会	1932/10/1	1932/11/30	兵庫県	宝塚新温泉	大阪日本新聞社
大東京菊花博覧会	1932/10/4	1932/11/30	東京都	国技館	読売新聞社
緑丘保健住宅博覧会	1932/10/10	1932/11/10	兵庫県	伊丹緑が丘	(財)日本建築協会
大美野田園都市住宅博覧会	1932/10/10	1932/11/10	大阪府	南海沿線 大美野田園都市(現堺市)	(財)日本建築協会
超特作面白レビューお伽の国こども博覧会	1933/1/4	1933/1/25	大阪府	高島屋長堀店	夕刊大阪新聞社
中部日本副業博覧会	1933/2/10	1933/2/17	愛知県	松坂屋	名古屋新聞社
祖国日向産業博覧会	1933/3/17	1933/4/30	宮崎県	大淀川畔	宮崎市、宮崎商工会議所
万国婦人子供博覧会	1933/3/17	1933/5/10	東京都	上野公園竹ノ台・池ノ畔 芝公園芝橋	大日本婦人連合会・工政会
全日本国産洋服博覧会	1933/3/20	1933/4/20	大阪府	府立貿易館、大阪城天主閣	大阪洋服商伺業組合
奈良市制35周年記念観光産業博覧会	1933/3/20	1933/5/21	奈良県	奈良公園・大軌東向駅周辺・京終	奈良市観光協会
中国新報社40周年記念非常時博覧会	1933/4/3	1933/5/12	岡山県	岡山城天守閣	中国新報社
第二師団凱旋記念満蒙軍事博覧会	1933/4/9	1933/5/28	宮城県	仙台西公園	河北新聞社、読売新聞社
◎ シカゴ万国博覧会	1933/5/27	1934/10/31	アメリカ	シカゴ・ミシガン湖畔	
東京建築博覧会	1933	1933	東京都		
第9回全国菓子飴大品評会	1933	1933	新潟県	新潟市商工奨励館	
品川臨海産業博覧会	1933/7/1	1933/8/31	東京都	品川埋立地	東京都品川区
満州大博覧会(満州大博覧会)	1933/7/23	1933/8/31	満州国	大連市聖徳街 白雲山下埋立地	大連市
倉敷納涼博覧会	1933/8/2	1933/8/13	岡山県	倉敷小学校	倉敷商工会議所
日満交通産業博覧会	1933/8/12	1933/8/27	愛知県	松坂屋	電通名古屋支局
電灯市営10周年記念電気科学博覧会	1933/9/10	1933/10/31	大阪府	元白木屋堺筋館	大阪電気局
競馬法実施10周年記念全国馬匹博覧会	1933/10/15	1933/10/24	大阪府	大阪城東練兵場	帝国馬匹協会
伊豆大島博覧会	1933	1933	静岡県		
非常時日本博覧会	1933	1933	大阪府		夕刊大阪新聞社 後援・第四師団 大阪府 大阪市 大阪商工会議所
皇太子殿下御誕生記念万国お人形博覧会	1934/1/11	1934/2/11	東京都	高島屋 日本橋店	読売新聞社
中部日本副業博覧会	1934/2/10	1934/2/17	愛知県	松坂屋	名古屋新聞社
皇太子殿下御生誕記念 第2回国民博覧会	1934/3/15	1934/5/3	愛知県	名古屋城内愛知県庁舎移転敷地	新愛知新聞・国民新聞両社
非常時警察博覧会	1934/3/18	1934/4/15	東京都	神田昌平橋伊勢丹旧館	時事新聞社
皇太子誕生奉祝宝塚小国民博覧会	1934/3/20	1934/5/19	兵庫県	宝塚新温泉	大阪毎日新聞社
全国工芸博覧会	1934/3/25	1934/5/8	岡山県	岡山市東山公園偕楽園	岡山市
国際産業観光博覧会	1934/3/25	1934/5/23	長崎県	長崎市中ノ島埋立地・雲仙国立公園	長崎市
皇太子殿下誕生記念 非常時国防博覧会	1934/4/1	1934/5/20	大阪府	大阪市今里空地	大阪時事新報社、愛国協会
一千百年御遠忌記念 弘法大師御行状博覧会	1934/4/1	1934/5/21	和歌山県	高野山	日刊工業新聞社
皇太子殿下御誕生記念 国防大博覧会	1934/4/1	1934	東京都	上野公園	やまと新聞社
国産振興家庭博覧会	1934/4/22	1934/5/16	岡山県	倉敷鶴形山麓	倉敷市・倉敷商工会所
神田神社社殿復興記念 祭礼文化お祭博覧会	1934/5/3	1934/5/31	東京都	神田松住町・伊勢丹旧館	お祭博覧会
地下鉄開通記念涼しい地下博覧会	1934/6/25	1934	東京都	地下鉄新橋・銀座・上野各駅	読売新聞社
国防と教育博覧会	1934/7/10	1934/8/30	新潟県	信濃川畔	新潟毎日新聞社
納涼婦人コドモ博覧会	1934/8/1	1934/8/31	東京都	高島屋	ライオン歯磨本舗
大阪市水道創設40周年記念水道博覧会	1934/8/3	1934/8/26	大阪府	高島屋	大阪市水道局
南と北の博覧会	1934	1934	愛知県		電通名古屋支局
世界服飾文化博覧会	1934/10/1	1934/10/27	大阪府	松坂屋	
国防と産業博覧会	1934/10/10	1934	山形県	山形市役所構内	国民新聞社
標準機械実演博覧会	1934	1934	--		
納涼博覧会	1934	1934	京都府	岡崎公園	東京日日新聞社
太平洋博覧会	1934	1934	東京都		

博覧会名 ◎＝BIE認定の博覧会	会期 開会	閉会	開催地	会場	主催者
金属工業博覧会	1934	1934	大阪府		日刊工業新聞社
日満興産博覧会	1934		北海道	旭川市	
第1回大阪府発明展覧会	1935/3/1	1935/3/30	大阪府	工業奨励館	大阪府工業奨励館
第10回全国菓子大博覧会	1935/3/12	1935/5/25	宮城県	仙台市商工奨励館	宮城県菓子業界団体
五重塔再建 聖徳太子博覧会	1935/3/16	1935/4/30	大阪府	四天王寺境内	
仏教博覧会	1935/3/18	1935/4/30	愛知県	名古屋市東郊覚王寺境内	仏教博覧会慶讃会
宝塚通信文化博覧会	1935/3/20	1935	兵庫県	宝塚	
新興熊本大博覧会	1935/3/25	1935/5/13	熊本県	水前寺公園	熊本市
宝塚皇国海軍博覧会	1935/3/25	1935/5/28	兵庫県	宝塚新温泉	大阪毎日新聞社
復興記念横浜大博覧会	1935/3/26	1935/5/24	神奈川県	山下公園、横浜港頭	横浜市
国防と産業 日光の博覧会	1935/3/26	1935/4/30	愛知県	岡崎公園	岡崎朝報社
国防と産業大博覧会	1935/3/27	1935/5/10	広島県	呉二河公園 川原石海軍用地	呉市
警察博覧会	1935/4/1	1935/5/10	岡山県	偕楽園	中国民報社
産業総動員工業大博覧会	1935/4/1	1935/5/20	大阪府	大手前 大阪府庁前 偕行社北側 天満橋駅前 特別会場・天王寺	日本工業新聞社 夕刊大阪新聞社
市制3周年記念萩史蹟産業大博覧会	1935/4/5	1935/5/15	山口県	萩市	萩実業会
楠公600年祭記念 神戸観光博覧会	1935/4/11	1935/5/30	兵庫県	港川・福厳寺・六甲山	神戸観光博覧会協会
全国旅行博覧会	1935/4/20	1935/5/30	新潟県	長岡市悠久山(外苑)	栃尾鉄道株式会社、北越新報社
藩祖300年祭記念 産業観光博覧会	1935/4/21	1935	宮城県	仙台市役所前・塩釜町築港	読売新聞社
◎ ブリュッセル万国博覧会	1935/4/27	1935/11/3	ベルギー	ヘイゼル公園	
大島と伊豆七島博覧会	1935	1935	静岡県		
たばこ博覧会	1935/7/21	1935	北海道		
通水30年記念水道博覧会	1935/7/23	1935/8/16	岡山県	偕楽園	岡山市
森林文化博覧会	1935/8/1	1935/8/15	大阪府	高島屋	大阪営林局
警биал博覧会	1935/8/2	1935	北海道	旭川	旭川新聞社
始政40周年記念 台湾博覧会	1935/10/10	1935/11/28	台湾	台北公堂及び以南	始政40周年記念台湾博覧会 (後援・台湾総督府)
伊賀文化産業城落成記念 全国産業博覧会	1935/10/12	1935/11/10	三重県	上野白鳳公園	伊賀上野町
楠公博覧会	1935	1935	奈良県	大軌デパート	
第1回大阪産業工芸博覧会	1935	1935	大阪府		大阪府、市、大阪商工会議所
納涼博覧会	1935	1935	京都府	比叡山	京都日日新聞社
履物博覧会	1935	1935	大阪府	高島屋	
中部日本副業博覧会	1935	1935	愛知県	松坂屋	名古屋新聞社
台湾平和記念博覧会	1936/3/10	1936/7/31	台湾	台北中央公園	台北市
世相博覧会	1936/3/15	1936/4/25	東京都	両国国技館	国民新聞社
博多築港記念大博覧会	1936/3/25	1936/5/13	福岡県	福岡海岸新埋立地	福岡市
躍進日本大博覧会	1936/3/25	1936/5/15	岐阜県	金華山麓・長良川畔	岐阜市・岐阜商工会議所
国産振興四日市大博覧会	1936/3/25	1936/5/13	三重県	四日市港埋立地	四日市市
躍進日本工業大博覧会	1936/3/25	1936/5/15	東京都	上野公園	時事新報社・日本工業新聞社
姫津線全通記念産業振興大博覧会	1936/3/26	1936/5/5	岡山県	古城跡 鶴山公園	津山市
姫津線全通記念国防と資源大博覧会	1936/4/1	1936/5/10	兵庫県	姫路城下町	姫路市・姫路商工会議所
姫線全通記念乗り物大博覧会	1936/4/1	1936/5/10	岡山県	岡山市東山偕楽園	中国民報社
国際観光博覧会	1936/4/10	1936/4/24	東京都	高島屋	国際観光局・日本旅行協会
輝く日本大博覧会	1936/4/10	1936/5/31	兵庫県	阪神浜甲子園ほか	大阪毎日新聞社 東京日日新聞社
高山本線開通記念日満産業大博覧会	1936/4/15	1936/6/20	富山県	旧神通川埋立地	富山市
伊東部隊凱旋歓迎 亜細亜大陸博覧会	1936/5/10	1936/5/17	愛知県	名古屋・松坂屋	新愛知新聞社
少年赤十字博覧会	1936/5/11	1936	岡山県		
◎ ストックホルム国際博覧会	1936/5/15	1936/6/1	スウェーデン	ストックホルム	
市電25周年記念博覧会	1936/9/26	1936/10/7	東京都	高島屋	東京市電局
大観艦式記念少国民海軍博覧会	1936/10/1	1936/10/31	兵庫県	阪神パーク・浜甲子園	
観艦式記念神戸博覧会	1936/10/3	1936/11/15	兵庫県	湊川公園・六甲山	神戸市
オリンピック博覧会 (オリムピック博覧会)	1936/10/17	1936/11/30	東京都	上野不忍池(第1会場)、豊島園(第2会場)	時事新報社
皇軍第1線満州国境警備博覧会	1936	1936	東京都	花月園	読売新聞社
全国民衆警察博覧会	1936/11/5	1936	山梨県	甲府	
国体宣揚博覧会	1936	1936	東京都	上野公園	楠公会
日本婚礼進化博覧会	1936	1936	兵庫県	宝塚新温泉一帯・宝塚図書館・宝塚会堂	阪急電鉄
支那事変記念大阪産業博覧会	1936	1936	大阪府		
横浜女性文化博覧会	1936	1936	神奈川県	横浜	横浜貿易新報
中部日本副業博覧会	1936	1936	愛知県	松坂屋	名古屋新聞社
船の大博覧会	1936	1936	東京都	日本橋	
昭和産業博覧会	1936	1936	--		
第1回コドモ博覧会	1937/1/4	1937/1/17	東京都	高島屋	
キモノ博覧会	1937/3/2	1937/3/14	大阪府	南海高島屋	
汎太平洋平和博覧会協賛 新日本文化博覧会	1937/3/11	1937	愛知県	松坂屋	
汎太協賛佛教博覧会	1937/3/15	1937/6/15	愛知県	覚王山一帯遷寺城	愛知県佛教団・名古屋新聞社
名古屋汎太平洋平和博覧会	1937/3/15	1937/5/31	愛知県	名古屋臨海地帯	名古屋市
別府博覧会	1937/3/16	1937/3/27	東京都	伊勢丹	別府市
土讃線全通記念南国土佐大博覧会	1937/3/22	1937/5/5	高知県	鏡川畔	高知市
国際温泉観光大博覧会	1937/3/25	1937/5/13	大分県	別府公園	別府市
大毎フェアランド 日独防共協定記念博覧会	1937/3/25	1937/5/25	兵庫県	阪急西宮北口	大阪毎日新聞社
国際工業大博覧会	1937/3/25	1937/4/30	大阪府		夕刊大阪新聞社
広告文化博覧会	1937/4/1	1937/4/17	大阪府	松坂屋	

博覧会名 ◎＝BIE認定の博覧会	会期 開会	－閉会	開催地	会場	主催者
政治博覧会	1937/4/1	1937/5/20	東京都	旧国会議事堂	東京日日新聞社　大阪毎日新聞社
健康文化博覧会	1937/5/12	1937/5/23	大阪府	高島屋	ライオン歯磨本舗
◎ パリ万国博覧会	1937/5/25	1937/11/25	フランス	パリ・トロカデロ広場	
日本温泉博覧会	1937	1937	東京都	芝公園内赤十字博物館	日本観光連盟
第3回大阪産業工芸博覧会	1937/6/5	1937/6/18	大阪府	大阪市立美術館　大阪工業奨励館	大阪府　大阪市　大阪商工会議所　大阪府工業懇話会　大阪府工芸協会
北海道大博覧会	1937/7/7	1937/8/31	北海道	小樽花園公園　海岸埠頭	小樽市
支那事変記念岡山産業博覧会	1937	1937	岡山県		
支那事変と次の博覧会	1937	1937	大阪府		大阪日日新聞社
婦人子供博覧会	1937	1937	愛知県		新愛知社
中部日本副業博覧会	1937	1937	愛知県	松坂屋	名古屋新聞社
戦捷コドモ博覧会	1938/1/3	1938	東京都		
明日の広告博覧会	1938	1938	東京都	上野松坂屋	電通
国民精神総動員新支那博覧会	1938/3/13	1938/4/25	東京都	両国国技館	報知新聞社他
市制50周年記念全日本産業観光甲府博覧会	1938/3/25	1938/5/13	山梨県	甲府市	甲府市
春の京都大博覧会	1938/3/25	1938/5/31	京都府	円山公園、岡崎公園、東山七条、東山一帯	京都市
国民精神総動員国防大博覧会	1938/3/25	1938/5/18	東京都	上野公園　不忍池湖畔	日本博覧会協会
支那事変博覧会	1938/3/25	1938/4/23	広島県	呉市二河公園	呉市
支那事変と産業博覧会	1938/4/1	1938/5/5	岡山県	偕楽園	岡山商工会議所
躍進日本航空博覧会	1938/4/1	1938/5/15	大阪府	京阪ひらかた遊園	帝国飛行協会
支那事変聖戦博覧会	1938/4/1	1938/5/30	兵庫県	西宮球場及び外園	大阪朝日新聞社
国民精神総動員建国記念大博覧会	1938/4/1	1938/4/20	福岡県	伊田町	伊田商工会
神国大博覧会	1938/4/5	1938/5/29	島根県	松江市千鳥城公園　穴道湖畔	松江市
東北振興大博覧会	1938/4/10	1938/5/11	宮城県	仙台広瀬河畔	仙台市
支那事変博覧会	1938/4/10	1938	富山県		
日本海大博覧会（開催中止）	1938/4/20	1938/6/15	新潟県	信濃川河畔	新潟市
◎ ヘルシンキ国際博覧会	1938/5/14	1938/5/22	フィンランド	ヘルシンキ	
第4回大阪府産業工芸博覧会	1938/5/24	1938/6/13	大阪府	大阪市立美術館	大阪府・市・大阪商工会議所
危機を孕む世界一周博覧会	1938/7/1	1938/8/31	東京都	両国国技館	読売新聞社
支那事変聖戦博覧会	1938/7/3	1938/8/31	京都府	嵐山	日出新聞社
思想戦博覧会	1938	1938	北海道	札幌	北海道庁
国防産業博覧会	1938	1938	東京都	日本橋高島屋	電通　読売新聞社
武運長久・支那事変と産業博覧会	1938/10/1	1938	熊本県		熊本商工会議所、熊本商工婦人会
輝く聖戦博覧会	1938	1938	東京都	花月園	読売新聞社、厚生省・第一師団・横須賀鎮守府・東京市・横浜市（後援）
支那事変博覧会	1938/11/20	1938	岐阜県	大垣	
支那事変博覧会	1938/11/20	1938/12/9	宮崎県		宮崎商工会議所
支那事変博覧会	1938	1938	奈良県	奈良社会会館	
日華事変博覧会	1938	1938	兵庫県	西宮球場	読売新聞社
中部日本副業博覧会	1938	1938	愛知県	松坂屋	名古屋新聞社
サンフランシスコ万国博覧会	1939/2/18	1939/12/2	アメリカ	トレジャー・アイランド	
支那事変大博覧会	1939/3/10	1939	愛媛県	松山	
国際工業大博覧会	1939/3/25	1939/4/30	大阪府		夕刊大阪新聞社
興亜建設博覧会	1939/3/29	1939	広島県	広島駅前	
戦捷記念興亜大博覧会	1939/3/31	1939	愛知県	名古屋笹島	
輝く郷土部隊武勲博覧会	1939/4/1	1939/5/31	大阪府	ひらかた遊園	
大東亜建設博覧会	1939/4/1	1939/5/31	兵庫県	西宮大運動場	大阪朝日新聞社
興亜聖戦博覧会	1939/4/3	1939	佐賀県	唐津	九州日報社、佐賀毎日新聞社、佐世保新聞社
日本精神発揚時局博覧会	1939/4/8	1939	広島県	三次	
聖戦大博覧会	1939/4/13	1939	福岡県		九州日報社、佐賀日日新聞社、佐世保新報社
支那事変博覧会	1939/4/16	1939	島根県	松江	
佐世保鎮守府開庁50周年記念支那事変大博覧会	1939/4/25	1939/5/27	長崎県	佐世保市	佐世保商工会議所
◎ ニューヨーク万国博覧会 前期	1939/4/30	1939/10/31	アメリカ	フラッシングメドウ公園	
◎ ニューヨーク万国博覧会 後期	1940/5/11	1940/10/27			
第11回全国菓子大博覧会	1939	1939	大分県	大分市武勲館	大分県菓子業界団体
興亜博覧会	1939/5/2	1939	香川県	高松	合同新聞社
◎ リエージュ国際博覧会	1939/5/20	1939/9/2	ベルギー	リエージュ	
世界の黎明・大亜細亜博覧会	1939/7/2	1939/8/31	東京都	両国国技館	読売新聞社、陸海軍省後援
新東亜建設記念博覧会	1939/7/20	1939/9/10	新潟県		新潟毎日新聞社
聖戦興亜博覧会	1939/7/30	1939	北海道	旭川	
北海道・樺太大博覧会	1939	1939	東京都	花月園	読売新聞社、（後援）北海道庁および樺太庁
聖戦興亜大博覧会	1939/10/1	1939/11/9	群馬県	第一会場・県庁前通り、第二会場・群馬会館	上毛新聞
第1回東洋土産品博覧会	1939/10/8	1939	京都府	京都大丸	日本土産協会
戦時博覧会	1939	1939	東京都	花月園	読売新聞社
戦車大博覧会	1939	1939	東京都	靖国神社	
産業と国防博覧会	1939	1939	福岡県	久留米	久留米市

博覧会名 ◎＝BIE認定の博覧会	会期 開会－閉会		開催地	会場	主催者
酒田産業大博覧会	1939	1939	山形県		酒田市
紀元2600年記念聖戦大博覧会	1940/2/1	1940	埼玉県	熊谷	
紀元2600年記念日本大博覧会	1940/2/11	1940/5/30	三重県	宇治山田市	名古屋新聞社
紀元2600年記念日本万国博覧会 (幻の日本万博) 開催中止	1940/3/15	1940/8/31	東京都	晴海・横浜	(社)日本万国博覧会協会
興亜通信博覧会	1940/3/15	1940	香川県	高松	
日本建国博覧会	1940/3/15	1940	岐阜県		
輝く技術博覧会	1940/3/20	1940/4/20	東京都	上野公園 不忍池畔	東京日日新聞社 日本技術協会
聖戦興亜大博覧会	1940/3/20	1940	栃木県	宇都宮	
紀元2600年に輝く肇国聖地日向博覧会	1940/3/21	1940/5/31	大阪府	ひらかた遊園	紀元2600年宮崎県奉祝会
紀元2600年記念建国博覧会	1940/3/21	1940	岡山県		
興亜建設博覧会	1940/4/12	1940	山口県		
日本建国軍事博覧会	1940/4/20	1940	福井県		
興亜時局博覧会	1940/4/20	1940/5/30	宮城県	仙台市西公園	仙台商工会議所
日本精神博覧会	1940/4/24	1940	愛知県	昭和	
輝く日本大博覧会	1940	1940	東京都	花月園	読売新聞社
始政30周年記念 朝鮮大博覧会	1940/7/1	1940/8/31	朝鮮	京城・東大門清涼里	京城日報社
戦時工業総力博覧会	1940/9/20	1940	東京都	上野公園	日刊工業新聞社
航空博覧会(航空日本大展観)	1940/9/28	1940/11/15	奈良県	あやめ池遊園 生駒山上	大阪朝日新聞社 大日本飛行協会 大阪電気軌道
日向建国博覧会	1940/10/5	1940/12/5	宮崎県	宮崎商工会議所	
躍進航空博覧会	1940	1940	東京都	花月園	読売新聞社
中部日本副業博覧会	1940	1940	愛知県	松坂屋	名古屋新聞社
航空博覧会	1941/3/20	1941/6/20	東京都	多摩川園(丸子)、よみうり遊園(二子)、よみうり飛行場	大日本飛行協会・読売新聞社、(後援)陸軍、海軍、通信省、外務省、拓務省、内閣情報局、東京府、東京市、警視庁
航空博覧会	1941/3/20	1941	兵庫県	宝塚	大日本飛行協会 読売新聞社
国防科学大博覧会	1941/4/1	1941/5/31	兵庫県	西宮球場及び外園宝塚新温泉	(財)科学動員協会・日刊工業新聞社
関門トンネル建設記念 大政翼賛興亜聖業博覧会	1941/4/3	1941/5/12	山口県	下関彦島埋立地	関門日日新聞社
高田市興亜国防大博覧会	1941/4/10	1941/5/10	新潟県	高田旧騎兵跡覆馬場	高田市観光協会
酒田興亜國防大博覧会	1941/7/25	1941/8/28	山形県	日和山公園	
中部日本副業博覧会	1941	1941	愛知県	松坂屋	名古屋新聞社
輝く大東亜博覧会	1942/3/20	1920/5/31	東京都	多摩川よみうり遊園	読売新聞社
大東亜博覧会	1942/8/1	1942/9/10	中華民国	天津北端寧園	華北宣伝連盟天津支部
満州国建国10周年記念 大東亜建設大博覧会	1942/8/12	1942/9/30	満州国	新京・大同公園	満州新聞社・満州日日新聞社・康徳新聞社
大東亜建設博覧会	1942/9/24	1942	福岡県	福岡市百道海岸	西日本新聞社
大東亜戦争博覧会(南京玄武湖博)	1942/11/1	1942/11/30	中華民国	南京・玄武洞翠州	大東亜戦争博覧会委員会
太平洋大博覧会	1942	1942	--		
決戦防空博覧会	1943/4/15	1943/5/31	兵庫県	西宮球場及外園	大阪府・兵庫県・中部司令部・大阪毎日新聞社
大東亜戦争完遂哈爾濱大博覧会	1943/8/1	1943/9/20	満州国	ハルビン道理公園・松花江河畔	満州新聞社
大東亜戦争完遂 徴兵制兵制定実施記念 興亜大博覧会	1943/10/1	1943/11/5	朝鮮	慶尚北道大邱府	大邱日日新聞社
大東亜建設博覧会	1944	1944	福岡県	博多	博多市
新日本観光博覧会	1947/4/14	1947/5/10	大阪府	難波・高島屋	大阪鉄道局・日本交通公社・全日本観光連盟
新憲法実施記念京都商工博覧会	1947/5/1	1947/5/21	京都府	京都駅前丸物百貨店	京都商工会議所
福山地方産業復興博覧会	1947/5/1	1947/6/8	広島県	福山駅前 福山公園	福山地方産業復興協会
◎ パリ国際博覧会	1947/7/10	1947/8/15	フランス	パリ	
再建日本農業博覧会	1947	1947	兵庫県	姫路市、明石市	兵庫県
伊勢志摩国立公園観光と平和博覧会	1948/3/31	1948/5/31	三重県	宇治山田市倉田山公園ほか	宇治山田市・宇治山田商工会議所
貿易振興博覧会	1948/4/10	1948/5/10	大阪府	天王寺公園・美術館	大阪府・市・大阪商工会議所・大阪貿易館・大阪経済研究会
貿易と観光大博覧会(出雲博)	1948/9/15	1948/10/15	島根県	松江市	松江市・松江商工会議所
復興大博覧会	1948/9/18	1948/11/17	大阪府	天王寺夕陽丘	毎日新聞社
石炭博覧会	1948	1948	山口県	宇部	宇部石炭局
全日本電気博覧会	1948	1948	東京都		
小田原産業文化博覧会	1948	1948	神奈川県		小田原市
日本貿易博覧会	1949/3/15	1949/6/15	神奈川県	横浜市反町野毛山	神奈川県 横浜市
岡山産業文化大博覧会	1949/3/20	1949/5/20	岡山県	岡山市	岡山県・岡山市
愛媛県産業復興松山大博覧会	1949/3/20	1949/5/20	愛媛県	松山市道後公園 梅津寺	愛媛県・松山市
観光高松大博覧会	1949/3/20	1949/5/20	香川県	高松市中央グランド 栗林公園	香川県 高松市
市制20周年記念津山博覧会	1949/3/20	1949/5/20	岡山県	津山市	津山市
善光寺御開帳と長野平和博覧会	1949/4/1	1949/5/31	長野県	長野市東公園	長野県 長野市 長野商工会議所
平和産業大博覧会	1949/4/1	1949	福島県	平	津山市
京都博覧会	1949/4/10	1949/5/31	京都府	丸物百貨店一帯、恩賜京都博物館構内、豊国神社、方広寺	京都日日新聞社 京都商工会議所
彦根観光博覧会	1949/4/10	1949	滋賀県	彦根	
犬山こども博覧会	1949/5/5	1949	愛知県	犬山公園	
全日本農機具大博覧会	1949/6/13	1949/6/19	石川県		石川県

博覧会名	◎＝BIE認定の博覧会	会期	開会－閉会	開催地	会場	主催者
◎	ストックホルム国際博覧会	1949/7/27	1949/8/13	スウェーデン	ストックホルム	
◎	リヨン国際博覧会	1949/9/24	1949/10/9	フランス	リヨン	
	郡山市制20周年記念 郡山産業文化博覧会	1949/9/25	1949/10/5	福島県	郡山	郡山市
	福島県産業復興博覧会	1949/11/1	1949/11/15	福島県	福島県全域	福島県
◎	ポルトープランス万国博覧会	1949/12/8	1950/6/8	ハイチ共和国	ポルトープランス	
	市制記念博覧会	1949	1949	山形県	新庄市	
	日本貿易産業博覧会(神戸博)	1950/3/15	1950/6/15	兵庫県	王子公園一帯・港川公園	兵庫県・神戸市
	アメリカ博覧会	1950/3/18	1950/6/11	兵庫県	阪急西宮球場・宝塚外園	朝日新聞社
	市制20周年 南国高知産業大博覧会	1950/3/18	1950/5/7	高知県	高知市	高知県・高知市
	子供の天国博	1950/3/20	1950/5/31	愛知県	東山総合公園	名古屋市
	九州ステートフェア農業振興博覧会	1950/3/25	1950/5/10	鹿児島県	鹿児島市	鹿児島県、鹿児島市農業協同組合協議会、南日本新聞社
	婦人子供博覧会	1950	1950	兵庫県	阪急西宮	毎日新聞社
	産業文化博覧会	1950	1950	兵庫県	阪急西宮	朝日新聞社
	福岡農業博覧会	1950	1950	福岡県		
	加須実業博覧会	1950/4/1	1950	埼玉県	加須	
	東京産業文化博覧会	1950/4/2	1950	東京都	新宿	東京都
	婦人子供大博覧会	1950/4/3	1950/5/31	石川県	本会場・金沢城跡本丸、特別会場・兼六園成巽閣	石川新聞社
	鳥取県産業観光米子大博覧会	1950/4/5	1950/5/15	鳥取県	米子市 港山錦公園一帯	鳥取県・米子市
	全日本宗教平和博覧会	1950/4/8	1950/5/10	石川県	金沢市兼六園周辺	石川県宗教連盟・石川県観光連盟・北国新聞社
	岡山農業文化博覧会	1950/4/20	1950	岡山県		岡山県農業会
	開基50周年博覧会	1950/6/15	1950	北海道	名寄市	名寄市
	北海道開発大博覧会	1950/7/15	1950/8/23	北海道	旭川市常盤公園一帯・石狩川畔他	北海道庁・旭川市
	新潟産業博覧会	1950/7/20	1950/8/31	新潟県	長岡市	
	浜松こども博覧会	1950/9/10	1950/10/20	静岡県	浜松城公園	浜松市
	高松こども博覧会	1950/9/20	1950/10/22	香川県	栗林公園動物園・三越高松支店	四国新聞社・香川県教育委員会
	小田原こども文化博覧会	1950/10/1	1950	神奈川県	小田原城跡公園	
	北日本産業博覧会	1950/10/20	1950	青森県	八戸市	
	名古屋こども博覧会	1950	1950	愛知県	名古屋市	
	近ация観光産業大博覧会	1950	1950	和歌山県		
	児童憲章制定記念宝塚こども博覧会	1951/4/1	1951/5/31	兵庫県	宝塚遊園地一帯	朝日新聞社
	体育文化博覧会	1951/4/1	1951	広島県		
	山陽子供博覧会	1951/4/1	1951	岡山県		
	北九州産業観光博覧会	1951/4/1	1951	福岡県	折尾	
	高岡産業博覧会	1951/4/5	1951/5/29	富山県	高岡市古城公園	富山県・高岡商工会議所
◎	リール国際博覧会	1951/4/28	1951/5/20	フランス	リール	
	第一回シヤトル日本貿易観光博覧会	1951/6/17	1951/7/3	アメリカ	シアトル市・ワシントン大学競技場	
	ユネスコこども博覧会	1951/9/1	1951	埼玉県	所沢市・山口貯水池畔	
	海と産業博覧会	1951/10/16	1951	広島県	呉	
	東京産業文化博覧会	1951	1951	東京都		
	伊賀上野世界こども博覧会	1952/3/15	1952/5/15	三重県	伊賀上野市白鳳公園	伊賀上野市
	講和記念婦人とこども大博覧会	1952/3/20	1952/5/31	大阪府	天王寺公園・大阪城公園	大阪市・大阪新聞社・産経新聞社
	講和記念新日本産業全国農機具大博覧会(四日市フェア)	1952/3/25	1952/4/23	三重県	四日市	四日市・日本農業振興会
	新日本高知こども博覧会	1952/4/1	1952/5/31	群馬県	高崎観音山	群馬県、群馬県教育委員会、高崎市
	長崎復興平和博覧会	1952/4/10	1952/6/8	長崎県	長崎市	長崎民友新聞社
	日蓮開宗700年祭山梨平和博覧会	1952/4/10	1952/6/10	山梨県	舞鶴公園 身延山	山梨県 甲府市 富士吉田市 身延町
	福井復興博覧会	1952/4/10	1952/6/10	福井県	福井大学 足羽公園山	福井市
	第12回全国菓子大博覧会	1952/5/20	1952/5/30	神奈川県	横浜市フライヤージム	神奈川県菓子業界国体
	北海道平和博覧会	1952/8/6	1952	北海道	帯広市	
	ワシントン州極東貿易博覧会	1952/9/6	1952/9/14	アメリカ	シアトル市	海外市場調査会
	東京復興大博覧会	1952	1952	東京都		
	アメリカ子供博覧会	1952	1952	大阪府		
	新日本産業博覧会	1952	1952	大阪府		
	電気文化大博覧会	1952	1952	長野県	上田市	
	交通と近代文明博覧会	1952	1952	岡山県		
	高梁市観光と物産博覧会	1952	1952	岡山県	高梁市	高梁市
	動物園博覧会	1952	1952	東京都		
	伸びる科学博覧会	1953/3/28	1953/6/7	兵庫県	阪神電車甲子園・阪神パーク	朝日新聞社
	みのお観光博覧会	1953/4/5	1953/6/5	大阪府	箕面公園	
	出雲大社正遷宮記念神国博覧会	1953/5/1	1953/5/31	島根県	出雲大社神苑 大社町稲佐浜	島根県大社町 出雲大社正遷宮奉祝会
	新潟産業観光博覧会	1953/7/1	1953/8/30	新潟県	信濃川畔	新潟県、新潟市
◎	ローマ国際博覧会	1953/7/26	1953/10/31	イタリア	ローマ	
◎	エルサレム国際博覧会	1953/9/22	1953/10/14	イスラエル	エルサレム	
	芸術祭参加映画博覧会	1953/10/7	1953/10/18	愛知県	松坂屋	
	神田博会	1953	1953	東京都		
	豊橋産業文化大博覧会	1954/3/20	1954/5/10	愛知県	豊橋市吉田城址一帯	豊橋市、愛知県教育委員会、豊橋市教育委員会
	第2回日本ステートフェア	1954/3/21	1954/5/20	奈良県	近鉄あやめ池遊園地	朝日新聞社
	お伊勢博覧会	1954/3/31	1954/5/31	三重県	宇治山田駅前、倉田山公園 宇治山田市	宇治山田市 宇治山田商工会議所

博覧会名 ◎＝BIE認定の博覧会	会期 開会	閉会	開催地	会場	主催者
関門海底国道トンネル開通記念 世界貿易産業大博覧会（門司トンネル博）	1958/3/20	1958/5/25	福岡県	老松公園 和布刈公園	門司市
徳島産業科学大博覧会	1958/3/20	1958/5/10	徳島県	徳島市徳島公園及びその附近一帯	徳島県、徳島市
100万人のこども博	1958/3/20	1958/5/31	兵庫県	宝塚動植物園	読売新聞社
伸びゆく世界とこども博	1958/3/20	1958/5/31	大阪府	みさき公園	毎日新聞社
平和のための防衛大博覧会	1958/3/20	1958/6/5	奈良県	あやめ池遊園	産経新聞社・大阪新聞社
広島復興大博覧会	1958/4/1	1958/5/20	広島県	平和記念公園・平和大通り	広島市
南国高知総合博覧会（南国博）	1958/4/5	1958/5/11	高知県	高知市新庁舎 高知市総合グランド	高知県・高知市
◎ ブリュッセル万国博覧会	1958/4/17	1958/10/19	ベルギー	ブリュッセルヘイゼル公園	
北海道大博覧会	1958/7/5	1958/8/31	北海道	札幌市桑園・中島公園、小樽第三埠頭	札幌市
世界動物博覧会	1958/8/1	1958/8/25	福井県	福井市球場外苑	福井新聞社
科学大博覧会	1958/9/27	1958/11/30	兵庫県	阪神パーク	朝日新聞社
春の山陽博覧会	1958	1958	岡山県		
宇宙旅行こども博覧会	1958	1958	愛知県	東山動物園	
平和日本防衛博覧会	1959/3/15	1959/5/31	愛知県	犬山大自然公園	愛知県 犬山市 中部日本新聞社 名鉄電車
日本民俗博	1959/3/20	1959/5/31	兵庫県	宝塚動植物園・服部緑地	毎日新聞社
楽しい電波博	1959/3/21	1959/5/31	奈良県	あやめ池遊園	読売新聞社
伸びゆく九州小倉大博覧会	1960/3/20	1960/5/22	福岡県	小倉勝山公園・旧小倉陸軍造兵廠	福岡県・小倉市
日本の歴史博	1960/3/20	1960/5/31	兵庫県	宝塚動植物園(宝塚ファミリーランド)	読売新聞社
航空宇宙博覧会	1960/3/20	1960/5/31	大阪府	ひらかたパーク	毎日新聞社
◎ ロッテルダム国際園芸博覧会（floriade）	1960/3/25	1960/9/25	オランダ	ロッテルダム	
宇宙大博覧会	1960/6/11	1960/7/31	東京都	晴海見本市会場	産経新聞社・中部日本新聞社
宇宙大博覧会	1960/9/21	1960/11/23	大阪府	国際見本市港会場	産経新聞社・大阪新聞社
宇宙大博覧会	1961/1/1	1961/2/28	愛知県	愛知県庁前特設広場	中部日本新聞社
長野産業文化博覧会	1961/4/1	1961/5/21	長野県	長野市城山公園一帯	長野県、長野市、長野商工会議所
婦人とこども博覧会	1961/4/1	1961/5/31	東京都	隅田川畔	
第15回全国菓子大博覧会	1961/4/3	1961/4/17	愛知県	愛知県庁前広場	愛知県菓子商工組合連合会
宇宙大博覧会	1961/4/7	1961/6/11	石川県	天神橋・高台・大和百貨店	
◎ トリノ国際博覧会	1961/5/1	1961/10/31	イタリア	トリノ	
おもちゃ博	1962/3/18	1962/5/31	愛知県	犬山	
熊本城再建躍進・熊本博覧会	1962/3/20	1962/5/20	熊本県	熊本城公園	熊本市
自然と民俗をたずねて太平洋博	1962/3/20	1962/5/31	兵庫県	宝塚ファミリーランド	大阪読売新聞社
防衛大博覧会	1962/3/27	1962/6/7	東京都	小田急向ヶ丘遊園	産経新聞社
れいめい福井博覧会	1962/4/21	1962/4/30	福井県		福井県・福井市・福井新聞社
◎ シアトル21世紀万国博覧会	1962/4/21	1962/10/21	アメリカ	シアトル市中心部	
伸びゆく鉄道科学大博覧会	1962/6/15	1962/7/10	東京都		毎日新聞社
港湾博覧会	1962	1962	東京都		
小松空港基地完成記念 伸びゆく日本・産業と防衛の小松博覧会	1962/9/23	1962/11/6	石川県	小松市末広運動公園 小松空港基地	小松市・小松商工会議所
若戸大橋完成 産業・観光と宇宙大博覧会（若戸博）	1962/9/28	1962/11/25	福岡県	高塔山公園	福岡県 戸畑市 若松市
熱海防犯博覧会	1962	1962	静岡県	熱海	
航空博覧会	1963/3/16	1963	東京都		
南日本大博覧会	1963/3/16	1963	鹿児島県		
世界の日本博	1963/3/21	1963/5/31	大阪府	みさき公園	大阪読売新聞社
21世紀博	1963	1963	兵庫県	宝塚動植物園	
岡崎産業科学大博覧会	1963/4/1	1963/5/21	愛知県	岡崎公園	岡崎市
◎ ハンブルグ国際園芸博覧会（IGA EXPO 1963）	1963/4/26	1963/10/13	ドイツ	ハンブルグ	
国土建設博覧会	1963/9/16	1963	東京都		
日本の警察博	1963/9/28	1963/11/30	大阪府	みさき公園	大阪読売新聞社
明治博	1964/3/15	1964/5/31	愛知県	犬山	
宝塚歌劇50周年記念 美しき日本博	1964/3/20	1964/5/31	兵庫県	宝塚ファミリーランド・服部緑地・逸翁美術館	毎日新聞社
◎ ウィーン国際園芸博覧会（WIG EXPO）	1964/4/16	1964/10/11	オーストリア	ウィーン	
ニューヨーク世界博覧会	1964/4/22	1965/10/17	アメリカ	フラッシングメドウ公園	
あすの科学と産業博覧会	1964/8/25	1964/10/25	岡山県	中央公園	山陽新聞社
航空博覧会	1964	1964	東京都	二子	
スイス博覧会	1964	1964	スイス	ローザンヌ	
松山博覧会	1965/3/20	1965/5/31	愛媛県	道後公園	松江市
近代100年博	1965/3/20	1965/5/31	兵庫県	宝塚ファミリーランド	読売新聞社
南太平洋博	1965/3/20	1965/6/13	奈良県	あやめ池遊園	産経新聞社・サンケイスポーツ
花の世界博	1965/3/20	1965/6/13	愛知県	犬山	
第16回全国菓子大博覧会	1965/4/25	1965/5/5	秋田県	秋田市山王広場	秋田県菓子工業組合
◎ ミュンヘン国際博覧会	1965/6/25	1965/10/3	ドイツ	ミュンヘン	
英国博覧会	1965/9/17	1965/10/3	東京都	晴海・東京国際貿易センター	(財)英国海外博覧会
福島博覧会	1965	1965	福島県		
宇宙探検博覧会	1965	1965	兵庫県		阪神電鉄
世界の旅博覧会	1965	1965	兵庫県		阪神電鉄
まんが博	1966/3/12	1966/5/31	愛知県	犬山	
南国産業科学大博覧会（南国博）	1966/3/19	1966/5/9	高知県	高知新聞社々屋、高知県民ホール、鏡川畔、高知市総合グランド	高知市

博覧会名 ◎＝BIE認定の博覧会	会期｜開会	－閉会	開催地	会場	主催者
明日をつくる科学と産業・福岡大博覧会	1966/3/19	1966/5/29	福岡県	大濠公園	西日本新聞社
なぞの大陸南極博覧会	1966/3/29	1966/5/31	京都府	八瀬遊園	日本極地研究振興会
姫路大博覧会	1966/4/3	1966/6/5	兵庫県	手柄山公園・名古山周辺・姫路城	姫路市
夢の21世紀博	1966/5/18	1966/5/31	兵庫県	甲子園・阪神パーク	毎日新聞社
新潟防衛大博覧会	1966/7/9	1966/8/25	新潟県	小針遊園地、大和新潟店	サンケイ新聞社、新潟復興委員会
こどもSF宇宙大冒険博	1966	1966	東京都	二子玉川園	
海獣博	1967/3/12	1967/5/31	愛知県	犬山大自然公園	
花のひらかたマイホーム博	1967/3/18	1967/6/11	大阪府	ひらかたパーク	日本経済新聞社
東北博覧会	1967/4/12	1967/6/12	宮城県	仙台市原町苦竹	河北新報社
◎ モントリオール万国博覧会	1967/4/28	1967/10/29	カナダ	セントヘレナ島 ノートルダム島など	
開港100年震災復興記念 新潟大博覧会	1967/7/8	1967/8/31	新潟県	松波町海浜	新潟県・新潟市
明治戊辰100年祭 会津大博覧会	1967/9/10	1967/10/22	福島県	会津若松	会津若松市
天草博覧会	1967	1967	熊本県	天草	
南日本博覧会	1967	1967	鹿児島県		
宇宙探検博	1968/3/20	1968/5/31	愛知県	犬山大自然公園	
◎ サンアントニオ世界博覧会	1968/4/6	1968/10/6	アメリカ	サンアントニオ	
第17回全国菓子大博覧会	1968/6/6	1968/6/17	北海道	札幌市大通公園	北海道菓子協会
北海道100年記念 北海道大博覧会	1968/6/14	1968/8/18	北海道	札幌真駒内公園	北海道・札幌市・北海道商工会議所連合会・北海道新聞社
びわこ大博覧会	1968/9/20	1968/11/10	滋賀県	大津膳所浜湖西埋立地	滋賀県・大津市
ビックリ天国博	1968	1968	兵庫県		
子供大行進博	1968	1968	大阪府	ひらかたパーク	
アメリカ博覧会	1968	1968	東京都		フード・ファン・アンドファッション
万国博と世界お国巡り	1969/3/15	1969/6/15	愛知県	犬山大自然公園	
佐賀大博覧会	1969/3/20	1969/5/18	佐賀県	佐賀市高木瀬町	佐賀県 西日本新聞社 佐賀県農業共同組合中央会
四国大博覧会	1969/4/6	1969/6/8	徳島県	徳島公園一帯 鴨島町江川遊園地	徳島新聞社
◎ パリ国際園芸博覧会(FLORALIES EXPO)	1969/4/23	1969/10/5	フランス	パリ	
八郎潟干拓記念 秋田農業大博覧会	1969/8/2	1969/9/25	秋田県	臨海工業用地大潟村総合中心地	秋田県 秋田市 秋田県農協中央会
水辺動物園完成記念熊本動物博覧会	1969	1969	熊本県		
大宇宙博覧会	1969	1969	--		毎日新聞社
◎ 日本万国博覧会	1970/3/15	1970/9/13	大阪府	大阪府下千里丘陵	日本万国博覧会協会
未来をひらく大海洋博	1971/3/20	1971/5/31	大阪府	みさき公園	朝日新聞社
世界の動物博	1971/4/3	1971	鳥取県	一畑パーク	
◎ ブタペスト国際博覧会	1971/8/27	1971/9/30	ハンガリー	ブタペスト	
200000000年前の世界 恐竜博	1972/3/18	1972/6/4	兵庫県	宝塚ファミリーランド	朝日新聞社
大航空博	1972/3/19	1972/6/11	愛媛県	今治唐子浜	
山陽新幹線開通記念岡山交通博覧会	1972/3/25	1972/5/7	岡山県	岡山市いづみ町県営グラウンド、岡山駅南広場	岡山県・岡山市・日本国有鉄道
◎ アムステルダム国際園芸博覧会(FLORIADE EXPO)	1972/3/26	1972/10/1	オランダ	アムステルダム	
鉄道100年鉄道博覧会	1972/8/2	1972/8/27	宮城県	仙台駅旧貨物ホーム 丸光デパート西花苑	仙台鉄道管理局
第18回全国菓子大博覧会	1973/2/15	1973/2/26	鹿児島県	鴨池運動公園	鹿児島県菓子工業組合
大怪獣博	1973/3/3	1973/6/17	愛知県	犬山大自然公園	
長野博覧会	1973/4/8	1973/5/20	長野県	長野スケートセンター	信越放送
◎ ハンブルグ国際園芸博覧会(IGA EXPO 1973)	1973/4/27	10/7/73	ドイツ	ハンブルグ	
楽しい海洋博	1973/4/29	1973/10/31	神奈川県	京急油壷マリンパーク	朝日新聞社・日本海事広報協会
くらしとレジャー博	1973/7/14	1973/7/29	北海道	札幌中島公園	北海道新聞社
日本海博覧会	1973/8/18	1973/10/14	石川県	北陸自動車道金沢西インター横	石川県・富山県・福井県・金沢市・北国新聞社
大シベリア博	1973/12/21	1974/5/6	東京都	後楽園	大シベリア博委員会・毎日新聞社
大まんが博	1974/3/9	1974/6/16	愛知県		
海の大探検博	1974/3/20	1974/6/2	兵庫県	宝塚ファミリーランド	読売新聞社
大自然の中の生活と創造 かごしま太陽博(開催中止)	1974/3/24	1974/5/26	鹿児島県	鴨池公園	鹿児島県・鹿児島市・南日本放送
◎ ウィーン国際園芸博覧会(WIG EXPO 1974)	1974/4/18	1974/10/14	オーストリア	ウィーン	
◎ スポーケン国際環境博覧会	1974/5/4	1974/11/2	アメリカ	ワシントン・スポーケン市	
郡山市制施行50年記念くらしの博覧会	1974/5/25	1974/5/29	福島県	郡山県営体育館	福島民報社
国鉄湖西線開通記念まんが博	1974/7/13	1974/9/1	滋賀県	びわ湖バレイ	
北海道農業博覧会	1974/8/18	1974/9/3	北海道	札幌産業共進会場	札幌市
世界動物博	1974/9/21	1974	兵庫県	加古川市	神戸新聞社
世界どうわ博	1975/3/8	1975/6/15	愛知県	犬山ラインパーク	
目で見る昭和博	1975/3/14	1975/6/1	奈良県	あやめ池遊園	朝日新聞社
新幹線博多開通記念・福岡大博覧会	1975/3/15	1975/5/25	福岡県	大濠公園・舞鶴公園	福岡県・福岡市 西日本新聞社
◎ 沖縄国際海洋博覧会	1975/7/20	1976/1/18	沖縄県	沖縄県本部半島	沖縄国際海洋博覧会協会
北海道農業博覧会	1975/8/15	1975/9/7	北海道	札幌中央公園	北海タイムス
野球の殿堂博	1975/10/10	1975/11/30	兵庫県	宝塚ファミリーランド	野球体育博物館・読売新聞社
建国200年記念 大アメリカ博	1976/3/12	1976/5/31	大阪府	エキスポランド	サンケイ新聞社他
九州こども博	1976/3/20	1976/5/30	熊本県	荒尾市三井グリーンランド	西日本新聞社
北陸こども博	1976/7/25	1976/8/29	富山県	富山市古城公園	富山新聞社
アメリカ博	1976/8/1	1976/11/30	福岡県	大牟田市	三井三池開発
第19回全国菓子大博覧会	1977/2/15	1977/2/26	静岡県	静岡曲金3丁目鐘紡敷地跡	静岡県菓子工業組合

博覧会名 ◎=BIE認定の博覧会	会期 開会	閉会	開催地	会場	主催者
西日本新聞創刊100周年記念 世界の童話博	1977/3/19	1977/5/22	熊本県	荒尾市三井グリーンランド	西日本新聞社
空輸大作戦くじら博	1977/3/19	1977/6/5	大阪府	エキスポランド	サンケイ新聞社他
ソ連博覧会	1977/4/3	1977/5/6	東京都	東京科学技術館	日本対外文化協会
あすの健康博	1977/4/16	1977/6/5	富山県	富山市城南公園	富山県、富山市、富山新聞社
西郷南州百年祭記念 大西郷博	1977/8/5	1977/10/23	鹿児島県	与次郎ヶ浜	鹿児島県 鹿児島市 鹿児島市教育委員会 南日本放送
南日本博	1977/9/15	1977/11/27	鹿児島県	新祇園州	鹿児島市・西日本新聞社
こどもSF夢ののりもの博	1977/10/1	1977/11/23	兵庫県	宝塚ファミリーランド	毎日新聞社
こども海洋博 すばらしい海底旅行	1978/3/17	1978/6/4	大阪府	みさき公園	読売新聞社 読売テレビ放送 報知新聞社
ギリシャ神話博	1978/3/18	1978/6/4	兵庫県	宝塚ファミリーランド	朝日新聞社
宇宙SF博	1978/3/18	1978/6/4	大阪府	万国博記念公園・エキスポランド	サンケイ新聞社 関西テレビ放送 ラジオ大阪 協力・東映
西日本こども博	1978/3/18	1978/5/28	福岡県	西鉄香椎園	西日本新聞社
600000000年の驚異 恐竜博	1978/3/18	1978/5/28	岡山県	岡山ファミリーランド	岡山日日新聞社
ロボット博	1978/3/18	1978/8/31	福岡県	福岡市	西日本新聞社
日本を守るスーパーメカ・ぼくらの平和博	1978/4/1	1978/6/18	奈良県	あやめ池遊園	サンケイ新聞社
おもちゃで見る世界の動物博	1978/5/1	1978	大阪府	寝屋川市立総合センター	寝屋川市
北海道こども博覧会	1978/7/1	1978/8/20	北海道	釧路市	釧路市
SPACE EXPO 宇宙科学博覧会	1978/7/16	1979/1/15	東京都	船の科学館周辺	宇宙科学博覧会協会
大恐竜博	1979/3/10	1979/8/31	福岡県	玄海彫刻の岬、恋の浦	西日本新聞社
世界名作童話博	1979/3/10	1979/6/17	愛知県	犬山ラインパーク	
みんなのくじら博	1979/3/10	1979/5/27	熊本県	三井グリーンランド	西日本新聞社
世界の飛行機博	1979/3/15	1979/6/3	大阪府	エキスポランド	サンケイ新聞社
瀬戸内2001博	1979/3/17	1979/6/17	岡山県	岡山市藤田錦	岡山県・岡山市・山陽新聞社
世界のおもちゃ博	1979/3/17	1979/6/3	福岡県	西鉄香椎園	西日本新聞社
ロボット博	1979/3/17	1979/6/3	兵庫県	宝塚ファミリーランド	読売新聞大阪本社 読売テレビ放送
高知新聞社75年記念高知こども科学博覧会	1979/3/17	1979/5/6	高知県	丸の内城西広場	高知新聞社 RKC高知放送
ふしぎ・ふしぎ・こどもの科学博	1979/3/18	1979/6/3	京都府	八瀬遊園	京都新聞社
中部こども博	1979/3/20	1979/5/6	三重県	長島大遊園地	中日新聞社,中京テレビ放送,長島温泉
国際児童年協賛・宇宙博覧会	1979/3/24	1979/9/2	東京都	船の科学館周辺	宇宙科学博覧会協会
航空博	1979/9/15	1979/11/30	愛知県	犬山ラインパーク	中日新聞社 中部飛行協会
小規模博覧会 ファミリー博	1979	1979	岩手県	盛岡	岩手日報社
こども宇宙博	1980/3/15	1980/6/1	兵庫県	宝塚ファミリーランド	朝日新聞社
福井文化・産業博覧会（福井博）	1980/4/19	1980/6/30	福井県	福井県産業会館	福井文化・産業博協会
◎ モントリオール国際園芸博覧会 (FLORALIES EXPO)	1980/5/17	1980/9/1	カナダ	モントリオール	
ロボット博	1980/5/24	1980/6/16	大阪府	なんばシティ 南館地下1階・シティホール	読売新聞大阪本社・読売テレビ放送
フランス博'80	1980/5/24	1980/11/30	愛知県		
驚異のマイコン博	1980/9/20	1980/11/24	大阪府	エキスポランド	朝日新聞社
夏休みこども博	1980	1980	北海道	札幌市	
大集合 世界のパトカー博	1981/3/14	1981/5/31	大阪府	万博記念公園エキスポランド	サンケイ新聞社・関西テレビ・ラジオ大阪
世界の童話博	1981/3/14	1981/5/31	兵庫県	宝塚ファミリーランド	読売新聞社
日本・タイ国親善観光博（象まつり）	1981/3/20	1981/8/31	和歌山県	白浜ワールドサファリ	日本・タイ国親善観光博実行委員会
神戸ポートアイランド博覧会（ポートピア81）	1981/3/20	1981/9/15	兵庫県	神戸ポートアイランド	（財）神戸ポートアイランド博覧会協会
えひめ・こども博	1981/3/20	1981/5/10	愛媛県	松山市コミュニティーセンター	松山市・愛媛県
仁尾太陽博	1981/3/21	1983/11/30	香川県	仁尾町仁尾浜	香川県・仁尾町・財団法人仁尾サンシャイン計画振興会
◎ プロヴディフ国際博覧会	1981/6/14	1981/7/12	ブルガリア	プロヴディフ	
マンガ博覧会'82	1982/3/1	1982/6/1	愛知県	犬山大自然公園	
チリ共和国大博覧会（世界の謎イースター島巨石像）	1982/3/13	1982/6/6	大阪府	エキスポランド	サンケイ新聞社・関西テレビ方放送
ロボット博	1982/3/15	1982/5/31	岡山県	岡山ファミリーランド	岡山日日新聞社
ふくおか82大博覧会	1982/3/19	1982/5/30	福岡県	大濠公園・舞鶴公園一帯	西日本新聞社・福岡県・福岡市
日本の鉄道博	1982/3/20	1982/5/31	大阪府	みさき公園	読売新聞社・読売テレビ放送・報知新聞社
ザ・ロボット博	1982/3/20	1982/5/9	三重県	ナガシマスパーランド	中日新聞社・東海テレビ放送・長島温泉
メキシコ博覧会	1982/3/20	1982/8/31	和歌山県	白浜ワールドサファリ第三スタジオ	サンケイ新聞社
◎ アムステルダム国際園芸博覧会 (FLORIADE EXPO 1982)	1982/4/8	1982/10/10	オランダ	アムステルダム	
国際エネルギー博覧会	1982/5/1	1982/10/31	アメリカ	テネシー州・ノックスビル	
海の大冒険博	1982/5/20	1982/6/6	兵庫県	宝塚ファミリーランド	朝日新聞社
82北海道博覧会	1982/6/12	1982/8/22	北海道	北海道立産業共進会場周辺	北海道 札幌市 札幌商工会議所 北海道新聞社 82北海道博覧会協会
グリンピア82十勝博（北方圏森林博覧会）	1982/7/17	1982/9/5	北海道	帯広市南町・旧帯広空港跡地	帯広市・帯広商工会議所・十勝毎日新聞社
山陰中央新聞創刊100周年記念 くにびきこども博	1982/7/17	1982/9/15	島根県	松江タカクラエキスポランド	山陰中央新報社
こどものためのロボット博	1982/7/23	1982/8/21	神奈川県	箱根小涌園こども村	サンケイリビング新聞社
やまがた博覧会	1982/9/18	1982/10/17	山形県	山形市霞城公園	山形市 山形新聞社 山形放送 山形テレビ 山形商工会議所

博覧会名 ◎＝BIE認定の博覧会	会期 開会	閉会	開催地	会場	主催者
NASA宇宙科学博	1982/10/23	1982/11/7	福島県	郡山市卸町南東北総合卸センター特設会場	福島放送
科学の時代の科学博	1982	1982	東京都		
北九州宇宙博	1982	1982	福岡県		
中国鉄道博	1983/3/19	1983/5/22	兵庫県	国鉄神戸駅前(湊川駅跡地)	(株)美乃美
夢の2001年博	1983/3/19	1983/5/29	大阪府	みさき公園	サンケイ新聞社
西日本マリンピア	1983/3/19	1983/6/5	福岡県	香椎花園	西日本新聞・西日本鉄道
◎ ミュンヘン国際園芸博覧会(IGA EXPO 1983)	1983/4/28	1983/10/9	ドイツ	ミュンヘン	
偉大なる鉄道博覧会	1983/5/19	1983/6/5	大阪府	エキスポランド	朝日新聞社・朝日放送・エキスポランド
上越新幹線開通記念 新潟博覧会	1983/7/1	1983/8/31	新潟県	新潟市親松	新潟県・新潟市・新潟商工会議所・新潟日報社
ザ・アニメ博	1983/7/9	1983/9/4	東京都	後楽園場外馬券売場ビル	読売新聞社
置県百年記念・にっぽん新世紀博覧会	1983/7/16	1983/9/15	富山県	県民公園・太閤山ランド	富山県・富山市・高岡商工会議所連合会・富山鉄道・北日本新聞社
漫画博覧会	1983/7/21	1983/8/9	東京都	東京上野美術館	日本放送
こども宇宙博	1983/7/26	1983/8/31	神奈川県	箱根小涌園こどもの村	日本短波放送
第1回全国都市緑化フェア グリーングロー大阪	1983/9/23	1983/11/23	大阪府	服部緑地	大阪府都市緑化基金
ちびっ子科学博	1983/9/25	1983/12/4	岡山県	きびの郷ワンダーランド	OHK
大阪築城400年まつり・大阪城博覧会	1983/10/1	1983/11/23	大阪府	大阪城公園一帯	(財)大阪21世紀協会
第20回全国菓子大博覧会	1984/2/24	1984/3/12	東京都	明治神宮外苑	東京全菓協会
おもしろラマ'84 100万人の芸能博	1984/3/17	1984/6/3	兵庫県	宝塚ファミリーランド	読売新聞大阪本社
OHK開局15周年記念 NASA宇宙科学博	1984/3/18	1984/4/8	岡山県	倉敷市松島(川崎医大西)	岡山放送
84高知・黒潮博覧会	1984/3/24	1984/5/13	高知県	高知中小企業団地造成地	高知県・高知市 高知商工会議所 高知新聞社 RKC高知放送
ドイツ博	1984/4/25	1984/5/6	東京都	晴海見本市会場	ドイツ連邦共和国経済省・ドイツ産業見本市委員会
◎ リバプール国際庭園博覧会	1984/5/2	1984/10/14	イギリス	リバプール市	
◎ ルイジアナ国際河川博覧会	1984/5/12	1984/11/11	アメリカ	ニューオリンズ市	
アメリカの恐竜博	1984/5/17	1984/6/3	奈良県	あやめ池遊園	サンケイ新聞社
84小樽博覧会	1984/6/10	1984/8/26	北海道	小樽市勝納埠頭とその周辺	小樽市・小樽商工会議所・北海道新聞社
84 TOKYOひかり博覧会	1984/7/7	1984/9/2	東京都	池袋サンシャインシティ	ひかり博覧会組織委員会、東京新聞
栃木産業博覧会	1984/7/12	1984/6/16	栃木県	宇都宮市清原中央公園	栃木県・宇都宮市 栃木県商工三団体連絡協議会
大あいづ博	1984/9/22	1984/10/7	福島県	会津若松市鶴ヶ城東口	KFB福島放送
名古屋城博	1984/9/29	1984/11/25	愛知県	名古屋城	名古屋城博開催委員会
国際伝統工芸博覧会・京都	1984/10/6	1984/12/9	京都府	国鉄京都駅南口	伝統工芸京都博覧会協会・(財)伝統工芸品産業振興協会
第2回全国都市緑化フェア モア・グリーン東京	1984/10/25	1984/11/10	東京都	日比谷公園、代々木公園、上野恩賜公園、神代植物公園	東京都市緑化基金
世界の旅行博'84	1984/12/13	1984/12/16	東京都	サンシャインシティ・ワールドインポートマート4F・アルパB1噴水広場ほか	世界旅行博実行委員会
◎ 国際科学技術博覧会(科学万博つくば'85)	1985/3/17	1985/9/16	茨城県	筑波学園都市	科学技術博覧会協会
秘境大アマゾン博	1985/3/20	1985/6/9	大阪府	エキスポランド	サンケイ新聞社・関西テレビ放送
ワールドインポートフェア85輸入博	1985/3/21	1985/4/14	愛知県	なごや国際展示場	名古屋輸入博覧会協会
サンリオ博覧会 ハローキティのゆかいな仲間たち	1985	1985	兵庫県	阪神パーク	毎日新聞社
先端技術博みえ85	1985/4/1	1985	三重県	鈴鹿市	鈴鹿商工会議所、(共催)三重県・鈴鹿市
くにうみの祭典 淡路愛ランド博	1985/4/21	1985/8/31	兵庫県	おのころアイランド・淡路ファームパーク・大鳴門橋記念館	兵庫県
85じゅらく大博覧会	1985/4/25	1985/4/26	京都府	京都市勧業館	
鳴門ピア・ワールドフェスティバル	1985/4/28	1985/6/16	徳島県	鳴門総合運動公園	徳島県・鳴門市
動く大パノラマ・UFO博	1985/7/7	1985/8/31	栃木県	鬼怒川温泉駅前特設会場	鬼怒川温泉観光協会
ブラジル大アマゾン博	1985/7/20	1985/8/4	静岡県	静岡産業館	テレビ静岡
第3回全国都市緑化フェア KOBEグリーンエキスポ85花と緑の博覧会	1985/7/21	1985/11/4	兵庫県	神戸総合運動公園	神戸市都市緑化募金
宮武外骨大博覧会	1985/7/26	1985/8/6	東京都	西武百貨店渋谷店B館	宮武外骨ファンクラブ・宮武外骨大博覧会協会
夏休みこども博	1985/8/1	1985/8/18	北海道	北海道立産業共進会場	北海道新聞社
岩手ピア85	1985/8/10	1985/8/25	岩手県	岩手県産業文化センター	いわてピア85実行委員会
世界大鉄道博覧会	1985/9/14	1985/11/4	大阪府	インテックス大阪(国際見本市会場)前	読売新聞社・読売テレビ放送・報知新聞社
トランスポ85	1985/9/27	1985/10/26	新潟県	新潟市	トランスポ85実行委員会
世界のお茶博	1985/10/26	1985/11/4	大阪府	大仙公園	堺市教育委員会 堺文化観光協会 堺市商工会議所 堺農業協同組合
和歌山築城400年記念・躍虎まつり	1985/11/2	1985/11/24	和歌山県	和歌山城周辺	和歌山市
85国際食博覧会・大阪	1985/11/12	1985/11/17	大阪府	インテックス大阪	大阪国際食博覧会実行委員会
宝塚ファミリーランド75周年 ハレー彗星がやってきた 大宇宙博	1986/3/15	1986/6/8	兵庫県	宝塚ファミリーランド	読売新聞大阪本社・読売テレビ・報知新聞社
おもしろまんが博	1986/3/15	1986/6/15	愛知県		
豊のくに中津大博覧会	1986/3/21	1986/5/11	大分県	中津市田尻都市流通センター 福沢諭吉旧邸	86豊のくにテクノピア実行委員会 福沢諭吉顕彰会

博覧会名 ◎──BIE認定の博覧会	会期 開会-閉会		開催地	会場	主催者
こども博	1986/3/21	1986/3/30	鹿児島県	サンロイヤルホテル特設会場	KKB鹿児島放送
えひめテクノピア博	1986/4/20	1986/8/17	愛媛県	松山市道後町・県民文化会館および周辺	愛媛県・愛媛新聞社他
◎ バンクーバー世界交通博覧会	1986/5/2	1986/10/13	カナダ	バンクーバー	カナダ政府・ブリティッシュ・コロンビア州政府・バンクーバー市
北海道21世紀博覧会	1986/6/22	1986/9/15	北海道	岩見沢市いわみざわ公園	岩見沢市・岩見沢商工会議所・岩見沢市役所
86さっぽろ花と緑の博覧会	1986/6/28	1986/8/31	北海道	札幌市百合ヶ原公園	全国都市緑化さっぽろフェア実行委員会事務局
秋田博86	1986/7/18	1986/8/24	秋田県	秋田市向浜・秋田県立スケート場とその周辺	秋田県・秋田市他
不思議の森の童話博	1986/7/20	1986/8/28	神奈川県	箱根こども村	サンケイリビング新聞社
世界まんが博	1986/7/20	1986/8/31	大阪府	大阪駅前西広場	毎日放送・日本漫画家集団
第4回全国都市緑化フェア クマモトグリーンピック86	1986/8/1	1986/10/12	熊本県	水前寺江津湖公園	第4回全国都市緑化くまもとフェア実行委員会
86フェスティバルあまがさき	1986/8/1	1986/8/24	兵庫県	尼崎市記念公園(スポーツセンター)	86フェスティバルあまがさき推進事務局会
かわさきグリーンピア	1986/10/18	1986/11/3	神奈川県	川崎市とどろき緑地	川崎市
世界旅行博86	1986/12/12	1986/12/14	東京都	池袋サンシャインシティ	世界旅行博実行委員会
世界のうさぎ博	1987/1/3	1987/1/7	大阪府	心斎橋そごう	そごう百貨店
北極の島・グリーンランド博	1987/3/14	1987/6/7	大阪府	エキスポランド	
水の不思議博	1987/3/19	1987/6/7	兵庫県	宝塚ファミリーランド	朝日新聞社
蘭・世界大博覧会	1987/3/19	1987/3/25	神奈川県	向ヶ丘遊園	蘭・第12回世界会議 学術事務局
葵博・岡崎87	1987/3/21	1987/5/17	愛知県	岡崎地域文化広場	岡崎市・岡崎商工会議所・岡崎市制70周年記念事業実行委員会
87世界古城博覧会	1987/3/28	1987/5/31	滋賀県	彦根城とその周辺	87世界古城博覧会協会
防衛博	1987/4/26	1987/8/27	静岡県	御殿場ファミリーランド	
国際居住年記念 国際居住博覧会	1987/5/1	1987/5/6	東京都	晴海国際貿易センター東館	国際居住年推進協議会
87未来の東北博覧会	1987/7/18	1987/9/28	宮城県	仙台市港地区	宮城県・仙台市・仙台商工会議所・河北新報社
犬山城築城450年祭記念博覧会 キャスティバル犬山87 岐阜	1987/7/19	1987/11/23	愛知県	犬山城総合運動場	犬山城築城450年祭実行委員会
天王寺博覧会	1987/8/1	1987/11/8	大阪府	大阪天王寺公園	(財)大阪21世紀協会
第5回全国都市緑化フェア グリーンハーモニーさいたま87	1987/10/3	1987/11/15	埼玉県	大宮第2公園ほか	埼玉県・浦和市・大宮・川口市・都市緑化基金
紀州の山村大資源博	1987/11/6	1987/11/8	和歌山県	和歌山県龍神村	和歌山県ふるさとふれあいフェア実行連絡協議会
世界歴史都市博会	1987/11/8	1987/11/29	京都府	パルスプラザ(京都府総合見本市会館)	世界歴史都市博開催委員会他
なんば大阪球場住宅博	1988/1/1	1998/12/31	大阪府	大阪球場	なんば大阪球場住宅博実行委員会
福田繁雄の遊気百倍博	1988/3/12	1988/9/25	奈良県	近鉄あやめ池遊園	朝日放送・朝日新聞社・近鉄興業営業推進部
おもしろまんが博'88	1988/3/12	1988/6/12	--		
さいたま博覧会	1988/3/19	1988/5/29	埼玉県	熊谷市川上県営スポーツ文化公園用地	さいたま博覧会実行委員会
瀬戸大橋博 四国	1988/3/20	1988/8/31	香川県	坂出市番の州沙弥地区	香川県瀬戸大橋架橋記念博覧会協会
瀬戸大橋博 岡山	1988/3/20	1988/8/31	岡山県	倉敷市児島・JR瀬戸大橋線児島駅前	岡山県瀬戸大橋架橋記念博覧会協会
れいほく高速博	1988/3/25	1988/5/8	高知県	大豊町高速大豊インター	れいほく高速博実行委員会
みやざきフラワーフェスタ88	1988/3/27	1988/4/17	宮崎県	宮崎県立総合運動公園・宮崎市街一帯	みやざきフラワーフェスタ実行委員会
陸中グルメ大博覧会	1988/4/15	1989/3/31	宮城県	陸中海岸国立公園沿岸	陸中グルメ大博覧会実行委員会
ホロンピア88 21世紀公園都市博覧会	1988/4/17	1988/8/31	兵庫県	三田市弥生が丘・三田ニュータウン南地区	ひょうご21世紀創造協会
ならシルクロード博	1988/4/24	1988/10/23	奈良県	奈良公園・平城京跡	奈良県・奈良市・NHK
パズル大博覧会	1988/4/29	1988/5/11	東京都	松屋銀座8階大催場	パズル大博覧会実行委員会
◎ ブリスベン国際レジャー博覧会	1988/4/30	1988/10/30	オーストラリア	ブリスベン	
世界・食の祭典	1988/6/3	1988/10/30	北海道	北海道全域・札幌エリア・函館エリア	世界・食の祭典1988組織委員会・(財)食の祭典委員会
赤レンガ100年祭	1988/6/26	1988/8/22	北海道	道庁赤レンガ庁舎内を中心に	赤レンガ100年祭実行委員会
十勝海洋博覧会	1988/7/2	1988/9/4	北海道	シーサイドパーク広尾・十勝港	十勝海洋博覧会実行委員会
ぎふ中部未来博覧会	1988/7/8	1988/9/18	岐阜県	長良川畔・岐阜県県営総合運動公園	ぎふ中部未来博覧会協会
青森博・青森EXPO	1988/7/9	1988/9/18	青森県	青森市安方地区(青森県観光物産館アスパム周辺)	青森博 青森市
青函博・函館EXPO	1988/7/9	1988/9/18	北海道	函館市弁天地区・大町地区(函館ドック跡地)	青函トンネル開通記念博覧会実行委員会
長崎100周年記念88 長崎国際博覧会	1988/7/17	1988/10/16	長崎県	長崎東岸一帯	長崎博覧会協会
しずおか88国際姉妹都市フェア	1988/7/31	1988/8/14	静岡県	静岡産業会館・市民広場	テレビ静岡
食と緑の博覧会いしかわ88	1988/9/22	1988/10/23	石川県	金沢市・加賀市・能登半島ほか	金沢商工会議所フードピア金沢催委員会
ひょうご88食と緑の博覧会	1988/9/23	1988/11/6	兵庫県	丹南町四季の森公園	ひょうご食と緑の博覧会実行委員会
飛騨・高山食と緑の博覧会	1988/9/23	1988/10/30	岐阜県	高山市・飛騨地区14町村	飛騨・高山食と緑の博覧会実行委員会
食と緑の博覧会 イートピアとちぎ	1988/9/30	1988/11/6	栃木県	JR宇都宮駅東地区	食と緑の博覧会とちぎ88実行委員会
第6回全国都市緑化フェア 緑・花・祭なごや88	1988/9/30	1988/11/23	愛知県	名城公園・若宮大通り公園	名古屋市・都市緑化基金・中国新聞社
紀州の山村大資源博	1988/10/29	1988/10/30	和歌山県	清水町	和歌山県ふるさとふれあいフェア実行連絡協議会

博覧会名 ◎＝BIE認定の博覧会	会期 開会	会期 閉会	開催地	会場	主催者
89大町・雪と氷の博覧会	1989/1/28	1989/1/30	長野県	大町市運動公園・大町市文化会館	大町市・大町 雪と氷の博覧会実行委員会
九州こども博	1989/3/12	1989/6/11	熊本県	三井グリーンランド	西日本新聞社
サザンピア21	1989/3/16	1989/5/14	鹿児島県	鹿児島市谷山地区臨海部一号用地	鹿児島市
アジア太平洋博覧会 福岡89	1989/3/17	1989/9/3	福岡県	シーサイドももち(福岡市早良区百道浜)	(財)アジア太平洋博覧会協会
駿府博覧会89	1989/3/18	1989/5/21	静岡県	静岡市駿府公園	静岡市市制100年委員会
姫路シロトピア博	1989/3/18	1989/6/4	兵庫県	姫路城周辺	姫路100年行事実行委員会
ダッハランド89大阪	1989/3/19	1989/5/21	大阪府	大阪・堺市大仙公園	オランダフェスティバル89大阪実行委員会
横浜博覧会	1989/3/25	1989/10/1	神奈川県	みなとみらい21地区	(財)横浜博覧会協会
世界つつじまつり	1989/4/8	1989/4/30	福岡県	久留米市中央公園筑後川河川敷	世界つつじまつり89くるめ実行委員会
長崎オランダ年89	1989/4/21	1989/10/22	長崎県	平戸市	ながさきオランダ年89実行委員会
第21回全国菓子大博覧会 松江菓子博	1989/4/23	1989/5/14	島根県	松江市西川津町北公園	島根県菓子工業組合・松江市
89食博覧会・大阪	1989/4/28	1989/5/7	大阪府	インテックス大阪	大阪食博覧会実行委員会・(財)大阪21世紀協会
89海と島の博覧会・ひろしま	1989/7/8	1989/10/29	広島県	広島市商工センター東湾岸島嶼部	(財)海と島の博覧会協会
ナイスふーど新潟89食と緑の博覧会	1989/7/14	1989/9/3	新潟県	新潟産業振興センターと周辺地	89新潟食と緑の博覧会協会
世界デザイン博覧会	1989/7/15	1989/11/26	愛知県	名古屋城・白鳥・名古屋港	(財)世界デザイン博覧会協会
第7回全国都市緑化フェア 89グリーンフェア仙台	1989/7/29	1989/10/16	宮城県	仙台市七北田公園・旬台台公園	仙台市・(財)都市緑化基金
89鳥取・世界おもちゃ博覧会	1989/7/29	1989/8/20	鳥取県	鳥取市美保公園 市民体育館	鳥取市・世界おもちゃ実行委員会
オランダ博89	1989/7/30	1989/9/30	長崎県	長崎市・平戸市	オランダ博89実行委員会
和歌山鉄道博	1989/8/1	1989/8/7	和歌山県	ワンダースクエア内多目的ホール	テレビ和歌山
おみやげ・ザ・ワールド 山形100フェスティバル	1989/8/3	1989/8/20	山形県	山形市総合スポーツセンター	山形市 やまがた100周年推進実行委員会
化学展89 化学大博覧会	1989/8/24	1989/8/29	大阪府		近畿化学協会
甲府博覧会	1989/9/15	1989/11/12	山梨県	山梨県小瀬スポーツ公園	甲府市 甲府商工会議所
夢、21生活未来博	1989/10/14	1989/10/18	群馬県	前橋競馬場	夢21生活未来博実行委員会
89紀州の山村大資源博	1989/11/4	1989/11/5	和歌山県	和歌山県東牟婁郡本宮町内	和歌山県ふるさとふれあいフェア実行連絡協議会
89ふるさと千葉 食と緑の博覧会	1989	1989	千葉県	千葉市	食と緑の博覧会実行委員会
上海国際博覧会	1989	1989	中国	上海	
江戸てれうり博覧会	1990/1/2	1990/1/10	東京都	西武百貨店池袋店7階	NHKプロモーション
おかやま食と緑の博覧会	1990/3/16	1990/4/15	岡山県	笠岡湾干拓地	おかやま食と緑の博覧会実行委員会
めん博かもがた	1990/3/16	1990/5/21	岡山県	浅口郡鴨方町・天草総合公園	鴨方町食と緑の博覧会推進協議会
ひむかの祭典（食と緑の博覧会）	1990/3/17	1990	宮崎県	宮崎県内各地	宮崎県ひむかの祭典推進協議会
◎ 国際花と緑の博覧会	1990/4/1	1990/9/30	大阪府	大阪市鶴見緑地	国際花と緑の博覧会協会
長崎「旅」博覧会	1990/8/3	1990/11/4	長崎県	長崎港松が枝国際観光ふ頭・同海上・グラバー園 孔子廟 市内各所街	長崎県 長崎市 長崎商工会議所
食と緑の博覧会みやざき90	1990/8/8	1990/9/16	宮崎県	宮崎空港	食と緑の博覧会みやざき90実行委員会
90紀州の山村大資源博	1990/9/29	1990/9/30	和歌山県	西牟婁郡大塔村 鮎川大塔体育館・鮎川中学校	和歌山県ふるさとふれあいフェア実行連絡協議会
食と緑の博覧会ちば90	1990/11/18	1990/12/16	千葉県	幕張メッセ	食と緑の博覧会ちば90実行委員会
マンガ博	1991/3/16	1991/6/16	愛知県		
世界陶芸祭（セラミックワールドしがらき）	1991/4/20	1991/5/26	滋賀県	甲賀群信楽町一帯 (鉄道事故のため15日まで)	世界陶芸祭実行委員会
◎ プロヴディフ国際博覧会	1991/6/7	1991/7/7	ブルガリア	プロヴディフ	
第8回全国都市緑化フェア グリーンルネッサンス北九州91	1991/9/14	1991/11/11	福岡県	若松区響灘緑地・小倉市勝山公園	北九州市・(財)都市緑化基金
まんが大博覧会 作家500人展	1991/9/21	1991/11/24	大阪府	エキスポランド催し物ホール	読売新聞大阪本社、読売テレビ、報知新聞社、エキスポランド
◎ ズーテルメール国際園芸博覧会 (FLORIADE EXPO 1992)	1992/4/10	1992/10/12	オランダ	ズーテルメール	
◎ セビリア万国博覧会	1992/4/20	1992/10/12	スペイン	セビリア市北東端カルトゥハ島	
トリエンナーレ奈良1992	1992/4/25	1992/6/14	奈良県	ならまちセンター、奈良県立美術館ほか	財団法人世界建築博覧会協会
サンシャインまんが博92 手塚治虫 ガラスの地球を救え	1992/4/29	1992/5/5	東京都	サンシャインシティ ワールドインポートマート4階	地球環境まんが博実行委員会
◎ 国際船と海の博覧会	1992/5/15	1992/8/15	イタリア	ジェノヴァ市旧ジェノヴァ港	
92世界民話博 IN遠野	1992/7/4	1992/8/31	岩手県	遠野市	世界民話博実行委員会
ジャパンエキスポ 三陸・海の博覧会	1992/7/4	1992/9/15	岩手県	釜石市 宮古市 山田町	三陸・海の博覧会実行委員会
第1回ジャパンエキスポ 富山博92	1992/7/10	1992/9/27	富山県	県民会館 太閤山ランド	富山ジャパンエキスポ協会
大恐竜博	1992/7/22	1992/8/31	東京都	池袋サンシャインシティ	TBS・大恐竜博事務所 (協力)中国内蒙古自治区博物館
世界そば博覧会	1992/8/9	1992/9/6	富山県	利賀国際キャンプ場・合掌文化村・そばの郷ほか	利賀村・世界そば博覧会実行委員会
第9回全国都市緑化フェア グリーンウェーブ相模原92	1992/10/3	1992/11/23	神奈川県	相模原公園、相模原麻溝公園	神奈川県 相模原市
水俣環境博覧会	1992	1992	熊本県		
シベリアのマンモス博	1993/3/19	1993/6/14	兵庫県	宝塚ファミリーランド	朝日新聞社・阪急電鉄
第10回全国都市緑化フェア グリーンフェア93いばらき	1993/3/27	1993/5/30	茨城県	偕楽園公園、千波公園	茨城県・水戸市・(財)都市緑化基金
アーバンリゾートフェア神戸93	1993/4/1	1993/9/30	兵庫県	神戸市全域	神戸市

博覧会名 ◎==BIE認定の博覧会	会期 開会	閉会	開催地	会場	主催者
◎ シュツットガルト国際園芸博覧会 (IGE EXPO 1993)	1993/4/23	1993/10/17	ドイツ	シュツットガルト	
93食博覧会・大阪	1993/4/30	1993/5/9	大阪府	インテックス大阪	大阪食博覧会実行委員会・(財)大阪21世紀協会・(社)大阪料飲経営協会
ジャパンエキスポ 信州博覧会	1993/7/17	1993/9/26	長野県	松本平広域公園緑地	信州博覧会実行委員会
国宝松本城400年祭	1993/7/17	1993/9/26	長野県	国宝松本城、中央公園	松本市
倉吉農業博覧会(フルーツコレクション倉吉93)	1993/8/7	1993/8/29	鳥取県	倉吉市営ラグビー場	倉吉市制40周年記念事業 農業博覧会実行委員会
◎ 大田世界博覧会(テジョンEXPO93)	1993/8/7	1993/11/7	韓国	大田直轄市 大徳研究団地	
火の国フェスタ	1993/10/1	1993/11/4	熊本県	熊本城一帯	火の国フェスタ・くまもと86実行委員会
京都1200 平安建都1200年記念イベント	1994/1/1	1994/12/31	京都府	京阪奈丘陵・岡崎公園	京都府・京都市
忍者戦隊カクレンジャー 64こども博	1994/3/12	1994/6/10	熊本県	三井グリーンランド	西日本新聞社・熊本日日新聞社
アメリカの恐竜博	1994/3/17	1994/6/3	奈良県	あやめ池遊園	サンケイ新聞社
四季彩94 但馬・理想の都の祭典	1994/4/9	1995/3/18	兵庫県	但馬地域全域	但馬・理想の都の祭典実行委員会
第22回全国菓子大博覧会(金沢菓子博94)	1994/4/23	1994/5/15	石川県	石川県西部緑地公園	第22回全国菓子大博覧会実行委員会
世界最大の恐竜博	1994/6/18	1994/9/4	大阪府	大阪アジア太平洋トレードセンター	朝日新聞社・NHK大阪放送局・アジア太平洋トレードセンター
豊岡・世界のかばん博94	1994/7/14	1994/8/15	兵庫県	豊岡市じばさんセンター	豊岡・かばん博実行委員会
ジャパンエキスポ 世界リゾート博	1994/7/16	1994/9/25	和歌山県	和歌山マリーナシティ	世界リゾート博覧会協会
ジャパンエキスポ 世界祝祭博(まつり博三重)	1994/7/22	1994/11/6	三重県	朝熊山麓	(財)世界祝祭博覧会協会
第11回全国都市緑化フェア 緑いきいきKYOTO94	1994/9/23	1994/11/23	京都府	学研都市記念公園・梅小路公園	京都府・京都市(財)都市緑化募金
ウルトラマン伝説・95こども博	1995/3/11	1995/6/18	熊本県	三井グリーンランド	西日本新聞社・熊本日日新聞社
ロマントピア藤原京95	1995/3/29	1995/5/21	奈良県	橿原市	藤原京創都1300年記念事業実行委員会
花フェスタ95ぎふ	1995/4/26	1995/6/4	岐阜県	可児市	花フェスタ95ぎふ実行委員会
トリエンナーレ奈良1995	1995/4/29	1995/6/18	奈良県	JR奈良駅周辺地区、ならまち	財団法人世界建築博覧会協会
第12回全国都市緑化フェア グリーンシンフォニーCHIBA95	1995/8/25	1995/10/22	千葉県	幕張海浜公園、稲毛海浜公園	
巨大怪獣ゴジラ博	1995/9/22	1995/11/26	兵庫県	エキスポランド	毎日新聞社・毎日テレビ・エキスポランド
史上最大のアニメ博	1996/3/9	1996/6/23	愛知県		
陸・海・空 自衛隊のすべて 平和博96	1996/3/24	1996/6/9	奈良県	あやめ池遊園地	産経新聞社
世界都市博覧会(開催中止)	1996/3/24	1996/10/13	東京都	臨海副都心「東京テレポートタウン」	(財)東京フロンティア協会
北近江秀吉博覧会	1996/4/7	1996/11/30	滋賀県	長浜市街地・琵琶湖湖北一帯	北近江秀吉博覧会実行委員会
第13回全国都市緑化フェア 彩りとやま緑化祭96	1996/4/20	1996/9/1	富山県	高岡古城公園、高岡おとぎの森公園	富山県、高岡市、砺波市
今世紀最大のマンガ王国 日本漫画博覧会	1996/7/13	1996/9/1	大阪府	アジア太平洋トレードセンター	読売新聞大阪本社・読売テレビ
ジャパンエキスポ佐賀96 世界炎の博覧会	1996/7/19	1996/10/13	佐賀県	有田地区・九州陶磁文化館	世界炎の博覧会実行委員会
ウルトラマン万博96	1996/7/20	1996/9/1	大阪府	万博記念公園お祭り広場特設会場	ウルトラマン万博96実行委員会
世界・梨ドリーム博	1996/7/26	1996/9/1	鳥取県	東伯総合公園・カウベルホール	鳥取県東伯町・東伯町農業協同組合
縄文まほろば博	1996/9/14	1996/10/6	大阪府	アジア太平洋トレードセンター	
大河ドラマ毛利元就博	1997/3/15	1997/12/14	広島県	広島城跡地	大河ドラマ毛利元就博実行委員会
97食博覧会・大阪	1997/4/25	1997/5/5	大阪府	インテックス大阪	食博覧会実行委員会、(財)大阪21世紀協会、(社)大阪料飲経営協会
旅フェア97(ツアーエキスポ97)	1997/5/9	1997/5/13	大阪府	インテックス大阪 (大阪国際見本市会場／南港)	旅フェア実行委員会
ジャパンエキスポ鳥取97 山陰・夢みなと博覧会	1997/7/12	1997/9/28	鳥取県	境港市竹内団地	山陰・夢みなと博覧会協会
光のミラクルワールド宝塚ふしぎ博	1997/7/18	1997/8/31	兵庫県	宝塚ファミリーセンター	読売新聞大阪本社、読売テレビ他
ジャパンエキスポ97 国際ゆめ交流博覧会	1997/7/19	1997/9/29	宮城県	みやぎ産業交流センター	国際ゆめ交流博覧会実行委員会
ファーブル昆虫記完成90年 史上最大の昆虫博	1997/7/27	1997/8/31	広島県	大阪南港・ATC ホール	アジア太平洋トレードセンター・朝日新聞社
第14回全国都市緑化フェア グリーンフェスタひろしま97	1997/9/20	1997/11/24	広島県	広島大学本部跡地、中央公園	広島市・(財)都市緑化基金
わかやま産業博覧会	1997/10/26	1997/10/28	和歌山県	和歌山ビッグホエール	わかやま産業博覧会実行委員会
陝西省文華país	1998/3/28	1998/5/5	香川県	サンメッセ香川	香川県、中国陝西省
第23回全国菓子大博覧会(岩手菓子博98)	1998/4/24	1998/5/17	岩手県	産業文化センターアピオ	第23回全国菓子大博覧会実行委員会
◎ リスボン国際博覧会	1998/5/22	1998/9/30	ポルトガル	リスボン市	
第15回全国都市緑化フェア にいがた緑のものがたり98	1998/8/1	1998/10/18	新潟県	県立屋根内潟公園、新潟県都市緑化植物園	新潟県、新潟市、新津市
建築トリエンナーレ奈良 1998	1998/10/24	1998/11/23	奈良県	奈良そごう美術館、奈良市史跡文化センター、奈良市写真美術館など	財団法人 世界建築博覧会協会
マルチメディア博覧会in香川99	1999/1/14	1999/1/16	香川県	サンメッセ香川	マルチメディア博覧会in香川実行委員会
第16回全国都市緑化フェア グリーン博みやざき99	1999/3/27	1999/5/30	宮崎県	阿波技原森林公園	宮崎県、宮崎市
◎ ジャパンエキスポ 南紀熊野体験博	1999/4/29	1999/9/19	和歌山県	南紀熊野地域	南紀熊野体験博覧会実行委員会
EXPO99 昆明世界園芸博覧会	1999/5/1	1999/10/31	中国	昆明	中華人民共和国
敦賀港開港100周年記念事業 つるが・きらめきみなと博21	1999/7/18	1999/8/16	福井県	敦賀港金ヶ崎緑地	敦賀港開港100周年記念事業実行委員会
飛騨美濃体験博	2000/1/1	2000/12/31	岐阜県	岐阜県全域	飛騨美濃体験博推進事務局
静岡市制110周年記念 静岡「葵」博	2000/1/8	2001/1/7	静岡県	JR東静岡駅北口広場、駿府城、東御門、巽櫓	静岡「葵」博実行委員会

博覧会名｜◎＝BIE認定の博覧会	会期｜開会－閉会		開催地	会場	主催者
国際園芸・造園博 ジャパンフローラ2000（淡路花博）	2000/3/18	2000/9/17	兵庫県	淡路島（淡路町・東浦）	㈶夢の架け橋記念事業協会
大河ドラマ葵徳川三代 決戦関ヶ原大垣博	2000/3/25	2000/10/9	岐阜県	大垣公園一帯	決戦関ヶ原大垣博実行委員会 大垣商工会議所
◎ ハノーバー国際博覧会	2000/6/1	2000/10/31	ドイツ	ハノーバー市	
恐竜エキスポふくい2000	2000/7/20	2000/9/17	福井県	勝山市長尾山総合公園	恐竜エキスポふくい2000実行委員会
西暦2000年世界民族芸能祭 （ワッショイ2000）	2000/7/28	2000/8/6	大阪府	地球村ジオ（堺市大仙公園）	西暦2000年世界民族芸能祭 組織委員会
慶州世界文化エキスポ2000	2000/9/1	2000/11/10	韓国	慶州普門団地内文化エキスポ会場	大韓民国尚北道
第17回全国都市緑化フェア マロニエとちぎ緑花祭2000	2000/9/9	2000/11/5	栃木県	壬生総合公園、壬生町立総合公園、 宇都宮市立総合運動公園	栃木県、宇都宮市、壬生町
インターネット博覧会「インパク」	2000/12/31	2001/12/31	--		
2001食博覧会・大阪	2001/4/27	2001/5/6	大阪府	インテックス大阪	食博覧会実行委員会
ジャパンエキスポ 北九州博覧祭2001	2001/7/4	2001/11/4	福岡県	北九州市東田地区 JRスペースワールド駅前	北九州博覧祭協会
ジャパンエキスポ うつくしま未来博	2001/7/7	2001/9/30	福島県	須賀川テクニカル（福島） リサーチガーデン用地内	ジャパンエキスポ うつくしま未来博覧会協会
ジャパンエキスポ 21世紀未来博覧会（山口きらら博）	2001/7/14	2001/9/30	山口県	阿知須干拓地南工区	21世紀未来博覧会協会
21世紀 みらい体験博	2001/7/20	2001/9/2	兵庫県	神戸国際展示場	21世紀 みらい体験博実行委員会
第18回全国都市緑化フェア 夢みどりいしかわ2001	2001/9/8	2001/11/11	石川県	金沢城址公園、兼六園ほか	石川県、金沢市
加賀百万石博	2002/3/23	2003/1/5	石川県	金沢城公園二の丸広場	大河ドラマ石川県推進協議会
◎ ハールレメルメール国際園芸博覧会 （FLORIADE EXPO）	2002/4/25	2002/10/20			
スイス国民博覧会	2002/5/1	2002/10/20	スイス	ビール・ビエンヌ、ヌーシャテル、 ムルテン・モラ、イヴェルドン	
第19回全国都市緑化フェア やまがた花咲かフェア02	2002/6/15	2002/8/26	山形県	最上川ふるさと総合公園、中央公園	山形県寒河江市最上川ふるさと 総合公園、新庄市かむてん公園
世界最大の恐竜博	2002/7/19	2002/9/22	千葉県	幕張メッセ	国立科学博物館・NHK
第24回全国菓子大博覧会 （くまもと菓子博2002）	2002/11/1	2002/11/18	熊本県	グランメッセ熊本、熊本城	熊本県菓子工業組合
◎ ロストック国際園芸博覧会 （IGA EXPO 2003）	2003/4/25	2003/10/12	ドイツ	ロストック	
第20回全国都市緑化フェア おおいた緑・香り夢フェスタ03	2003/4/28	2003/6/29	大分県	大分県スポーツ公園、佐野植物公園	大分県、大分市
若狭路博2003	2003/9/14	2003/10/13	福井県	メイン会場・小浜市川崎地区 サブ会場・竜前地区および小浜市街	若狭路博2003実行委員会
熱海花の博覧会 （パシフィックフローラ2004熱海サテライト開場事業）	2004/3/18	2004/5/23	静岡県	熱海市和田浜南町（熱海港観光施設用地）	熱海花の博覧会実行委員会
第21回全国都市緑化フェア パシフィックフローラ2004（浜名湖花博）	2004/4/8	2004/10/11	静岡県	浜名湖ガーデンパーク	静岡県浜松市、静岡国際園芸博覧会協会
えひめ町並博2004	2004/4/29	2004/10/31	愛媛県		大洲・内子・宇和を中心に宇和島市、 八幡浜市など南予一円
驚異の大恐竜博	2004/7/16	2004/9/12	千葉県	幕張メッセ	日本経済新聞社、テレビ東京、 日経ナショナルジオグラフィック社
花の都ぎふ運動15周年記念 花フェスタ2005ぎふ	2005/3/1	2005/6/12	岐阜県	可児市瀬田の花フェスタ記念公園	花フェスタ2005ぎふ実行委員会
新世紀・名古屋城博覧会	2005/3/19	2005/6/19	愛知県	名古屋城	新世紀・名古屋城博開催委員会
◎ EXPO2005 日本国際博覧会（愛・地球博）	2005/3/25	2005/9/25	愛知県	名古屋市東部丘陵・長久手市・ 瀬戸市・豊田市	2005年日本国際博覧会協会
2005食博覧会・大阪	2005/4/28	2005/5/8	大阪府	インテックス大阪	食博覧会実行委員会、 ㈶大阪21世紀協会、 ㈳大阪外食産業協会
第22回全国都市緑化フェア アイランド花どんたく	2005/9/9	2005/11/20	福岡県	福岡市東区アイランドシティ中央公園と その周辺域 （会場区域・24ha、駐車場他・9ha）	福岡市、㈶都市緑化基金、 第22回全国都市緑化ふくおかフェア 実行委員会
第23回全国都市緑化フェア 花・彩・祭 おおさか2006	2006/3/25	2006/5/28	大阪府	大阪城公園ほか	財団法人都市緑化基金、大阪市
長崎さるく博 06	2006/4/1	2006/10/29	長崎県	長崎市内	長崎さるく博06推進委員会
杭州世界レジャー博覧会	2006/4/22	2006/10/22	中国	杭州世界レジャー博覧会場、 杭州世界レジャー風情園	世界レジャー組織、国家観光局
こども未来博	2006/7/29	2006/8/20	北海道	月寒グリーンドーム	札幌商工会議所
◎ チェンマイ国際園芸博覧会	2006/11/1	2007/1/31	タイ	チェンマイ	
熊本城築城400年祭	2007/1/1	2008/5/31	熊本県	熊本城をメイン会場 サテライトを市内各所	熊本城築城400年記念事業 実行委員会・熊本市
第24回全国都市緑化フェア おとぎの国の花フェスタinふなばし	2007/10/2	2007/11/4	千葉県	船橋市アンデルセン公園	財団法人都市緑化基金、船橋市
第25回全国都市緑化ぐんまフェア 花と緑のシンフォニーぐんま2008	2008/3/29	2008/6/8	群馬県	前橋市、高崎市を総合会場として開催	財団法人都市緑化基金、群馬県、 前橋市、高崎市
第25回全国菓子大博覧会・兵庫 （姫路菓子博2008）	2008/4/18	2008/5/11	兵庫県	姫路城周辺	第25回全国菓子大博覧会・兵庫 兵庫県実行委員会

博覧会名	◎=BIE認定の博覧会	会期 開会	閉会	開催地	会場	主催者
◎	EXPO ZARAGOZA 2008	2008/6/14	2008/9/14	スペイン	サラゴザのエブロ川のほとり エル・メアンドロ・デ・ラニージャス	
	第26回全国都市緑化おかやまフェア おかやま花だより未来へ	2009/3/20	2009/5/24	岡山県	メーン会場は岡山市西大寺地区、 サブ会場は岡山城・後楽園等	財団法人都市緑化基金、 岡山県、岡山市
	開国・開港 Y150 開国博	2009/4/28	2009/9/27	神奈川県	みなとみらい21新港地区周辺、 よこはま動物園ズーラシア隣接地区、 横浜駅周辺から山下・山手地区	財団法人横浜開港150周年協会 (旧横浜開港150周年推進協議会)
	2009食博覧会・大阪	2009/4/30	2009/5/10	大阪府	インテックス大阪	食博覧会実行委員会、(財)大阪21世紀協会、(財)大阪外食産業協会
	浜松モザイカルチャー世界博2009 (浜名湖立体花博)	2009/9/19	2009/11/23	静岡県	はままつフラワーパーク	浜松市、浜松モザイカルチャー世界博2009協会
	平城遷都1300年祭	2010	2010	奈良県	平城宮跡一帯	(社)平城遷都1300年記念事業協会
◎	EXPO 2010 上海世界博覧会(上海万博)	2010/5/1	2010/10/31	中国	上海浦東地区	上海世界博覧会事務協調局
	第27回全国都市緑化ならフェア やまと花ごよみ2010	2010	2010	奈良県	(メイン会場)県営馬見丘陵公園、 (テーマ会場)平城宮跡、藤原宮跡、 国営飛鳥歴史公園	奈良県、(財)都市緑化基金
	龍馬ふるさと博	2011/3/5	2012/3/31	高知県	高知県内の観光施設・文化施設	龍馬ふるさと博推進協議会
	松江開府400年記念博覧会	2011/3/19	2011/12/4	島根県	松江城と松江歴史館をメインエリアとしたオープンエリア方式	松江開府400年祭推進協議会
	西安世界園芸博覧会	2011/4/28	2011/10/22	中国	西安市万博パーク	
	第28回全国都市緑化かごしまフェア 花かごしま2011	2011/5/22	2011/6/30	鹿児島県		鹿児島県、鹿児島市、財団法人都市緑化基金
◎	フェンロー国際園芸博覧会	2012/4/5	2012/10/7	オランダ	フェンロー	
◎	EXPO 2012 麗水国際博覧会	2012/5/12	2012/8/12	韓国	全羅南道麗水市	
	神話博しまね	2012/7/21	2012/11/11	島根県	主会場は出雲大社周辺	神々の国しまね実行委員会
	第29回全国都市緑化フェア TOKYO (TOKYO GREEN 2012)	2012/9/29	2012/10/28	東京都	上野恩賜公園会場、井の頭恩賜公園会場、日比谷公園会場、浜離宮恩賜庭園会場、海の森会場、国営昭和記念公園会場	東京都、財団法人都市緑化機構、運営主体・第29回全国都市緑化フェア TOKYO実行委員会、特別協賛者・公益財団法人東京都公園協会
	第26回全国菓子大博覧会・広島 (ひろしま菓子博2013)	2013/4/19	2013/5/12	広島県	旧広島市民球場跡地、 広島県立総合体育館とその周辺	第26回全国菓子大博覧会・広島実行委員会
	順天湾国際庭園博覧会	2013/4/20	2013/10/20	韓国	順天湾一帯	2013順天湾国際庭園博覧会推進団
	2013食博覧会・大阪	2013/4/26	2013/5/6	大阪府	インテックス大阪	食博覧会実行委員会、(社)大阪外食産業協会
	化粧品・ビューティ世界博覧会 (Cosmetics & Beauty Expo, Osong Korea 2013)	2013/5/3	2013/5/26	韓国	忠清北道の五松駅一帯 (五松先端医療複合団地)	忠清北道、韓国食品医薬品局(FDA)、清州市、清原郡
	宇宙博2014 NASA・JAXAの挑戦	2014/7/19	2014/9/23	千葉県	幕張メッセ	NHK、NHKプロモーション、朝日新聞社
◎	EXPO 2015 ミラノ国際博覧会	2015/5/1	2015/10/31	イタリア	ミラノ	
	第32回全国都市緑化あいちフェア (花と緑の夢あいち2015)	2015/9/12	2015/11/8	愛知県	(メイン会場)愛・地球博記念公園(長久手市)、(サテライト会場)県内各地の公園や花の名所など	(主催者)愛知県及び公益財団法人都市緑化機構、(運営主体)第32回全国都市緑化あいちフェア実行委員会
	えひめいやしの南予博2016	2016/3/26	2016/11/20	愛媛県	南予地域ほか	えひめいやしの南予博2016実行委員会
◎	アンタルヤ国際園芸博覧会	2016/4/1	2016/10/31	トルコ	アンタルヤ県 県都アンタルヤ	
	2017莞島国際海藻類博覧会	2017/4/14	2017/5/7	韓国	莞島港・海辺公園・張保皐・遺跡地を繋ぐ莞島EXPOベルト	全羅南道・莞島郡、財団法人莞島海藻類博覧会組織委員会
	第27回全国菓子大博覧会・三重 (お伊勢さん菓子博2017)	2017/4/21	2017/5/14	三重県	三重県営サンアリーナ及びその周辺	第27回全国菓子大博覧会・三重実行委員会
	2017食博覧会・大阪	2017/4/28	2017/5/7	大阪府	インテックス大阪 (大阪国際見本市会場/南港)	食博覧会実行委員会、(社)外食産業協会、(財)関西・大阪21世紀協会
◎	EXPO 2017 アスタナ国際博覧会	2017/6/10	2017/9/10	カザフスタン	アスタナ市	
	第35回全国都市緑化やまぐちフェア (山口ゆめ花博)	2018/9/14	2018/11/4	山口県	山口きらら博記念公園	山口県、山口市、公益財団法人都市緑化機構
◎	北京国際園芸博覧会	2019/4/29	2019/10/7	中国	北京	
◎	EXPO2020ドバイ万国博覧会	2021/10/1	2022/3/31	アラブ	ドバイ	
◎	ドーハ国際園芸博覧会	2021/10/14	2022/3/17	カタール	ドーハ	
◎	アムステルダム・アルメレ国際園芸博覧会	2022/4/14	2022/10/9	オランダ	アムステルダム・アルメレ	
◎	EXPO2023 ブエノスアイレス国際博覧会	2023/1/15	2023/4/15	アルゼンチン	ブエノスアイレス	
◎	2025年日本国際博覧会 (OSAKA, KANSAI EXPO 2025)	2025/4/13	2025/10/13	大阪府	夢洲	2025年日本国際博覧会協会

「博覧会の世紀 1851-1970」

出品予定リスト

本リストでは
大阪会場、新潟会場、長崎会場で
出品予定の資料のうち
乃村工藝社所蔵の資料のみを
記載しています。
会場によって出品資料は異なります。
—

[凡例]
博覧会名
資料名
作者・製作者
時代
員数
サイズ(縦×横cm)

第1章
博覧会のはじまり

海外の博覧会

第1回ロンドン万博
—
Tallis's History and
Description of the
Crystal Palace and
Exhibition of the
World's Industry in 1851
London 1-3
JOHN TALLIIS AND
CO.,
1851年(嘉永4年)
3冊
28.0×23.0
—
西洋聞見録
村田文夫
1869年(明治2年)
7冊
22.5×15

第2回パリ万博
—
GRAND ALBUM
DE L'EXPOSITION
UNIVERSELLE 1867
M.L. Frères
1867年(慶応3)
44.5×31.0

ウィーン万博
—
澳国博覧会参同記要
田中芳男・平山成信
1897年(明治30年)
21.2×15
—
維納博覧会見聞録別記
(子育の巻)
近藤真琴
1875年(明治8年)(初版)
22.5×15

第3回パリ万博
—
L'Exposition de Paris
1878
R.P.A.Bitard
1878年(明治11)
37.2×28.3
—
明治十一年佛國博覽會
出品目録
佛國博覽會事務局
1880年(明治13年)
20×14.2
—
仏蘭西巴里府萬國大博
会報告書 第二篇 日本部
村松彦七
仏国博覧会事務局
1880年(明治13年)
20.4×14.3

第4回パリ万博
—
Revue de l'Exposition
Universelle de 1889
Paris 1
Dumas(F.G.)&
Fourcaud(L.de)
1889年(明治22年)
2冊
32.2×25.5
—
エッフェル塔のイラスト(複製)
57×42
—
パリ万博 展覧会ポスター
1989年(昭和64年)
60×40
—
パリ万博の交通広告
ポスター(複製)
53.5×40

シカゴ万博
—
SHEPP'S
WORLDS FAIR
PHOTOGRAPHED
James W.Shepp and
Daniel B.Shepp/
GLOBE BIBLE
PUBLISHING Co.,
1893年(明治26年)
22.7×28.5

The Chicago Worlds
Fair of 1893
DOVER
PUBLICATIONS,INC.
1980年(昭和55年)
27.8×21
—
コロンブス世界博覧会
出品者心得
臨時博覧会事務局
1892年(明治25年)
22×15.2
—
臨時博覧会事務局
報告附屬圖
臨時博覧会事務局
1895年(明治28年)
17.2×26
—
閣龍世界博覧会
美術品画譜
第壱集・第弐集・第三集
久保田米遷画／大倉書店
1893年(明治26年)-
1894年(明治27年)
3冊
24.5×15.7

第5回パリ万博
—
パリ万博 絵葉書
1900年(明治33年)
6枚
9×13.9
—
パリ万博 入場券
1900年(明治33年)
7.2×5.0
—
『千九百年巴里萬国博覧
会臨時博覧会事務局報告
(上)』
農商務省
1902年(明治35年)
26×18.3×5

日英博覧会
—
第八千参百九拾七號付録
「日英博覧会見物世界一
周双六」
東京朝日新聞
1910年(明治43年)
54.9×78.4
—
グラフィック特別増刊号
日英博覧会記念出版
代表的日本
有楽社
1910年(明治43年)
38.3×26.2
—
日英博覧会 絵葉書
名誉総裁の伏見宮と
コンノート両殿下の肖像、
博覧会場写真
1910年(明治43年)
9.1×14.1
—
日英博覧会 絵葉書
名誉総裁の伏見宮と
コンノート両殿下
1910年(明治43年)
9.1×14.1
—
日英博覧会 絵葉書
1910年(明治43年)
9.1×14.1
—
日英博覧会 絵葉書
熊祭とアイヌの家
1910年(明治43年)
9.1×14.1
—
日英博覧会 絵葉書
熊祭の儀式
1910年(明治43年)
9.1×14.1
—
日英博覧会 絵葉書
1910年(明治43年)
9.1×14.1

日本の博覧会

京都博覧会
—
博覧会品物目録
(第一回京都博覧会)
1872年(明治5年)
31.3×42.6

文部省博覧会
—
元ト昌平阪聖堂ニ於テ
博覧会図
昇斎一景
1872年(明治5年)
35.6×72.0

第一回内国勧業博覧会
—
大日本内国勧業博覧会
製糸器械之図
二代歌川国明
1877年(明治10)
35.2×72
—
上野公園地博覧会
御開業図下
古林進斎
1877年(明治10年)
35.6×72.9
—
内国勧業博覧会徒式
松月保誠
1877年(明治10年)
35.3×71
—
内国勧業博覧会
開場御式の図
楊州周延
1877年(明治10年)
35.6×72.4
—
博覧会開場式 御幸の図
楊州周延
1877年(明治10年)
35.3×70.7
—
内国勧業博覧会
出品取次所規則及び
荷造方箱書付送状、
運賃便覧表
内国勧業博覧会事務局
1877年(明治10年)
47.4×64.6
—
内国勧業博覧会引札
土井惣左衛門
1877年(明治10年)
25.9×37.1

第二回内国勧業博覧会
—
東京上野第二勧業
博覧会図
楊州周延
1881年(明治14年)
37×72.7
—
第二回内国勧業博覧会
歌川国利
1881年(明治14年)
35.7×71.5
—
上野公園博覧会美術館
猩々噴水器之図
季光
1881年(明治14年)
35.7×70.9
—
東京名所之内上野山内
一覧図
河鍋暁斎
1881年(明治14年)
37×71.9
—
内国勧業博覧会ノ図
楊州周延
1881年(明治14年)
35.8×48.3
—
東京名所上野公園内
勧業第二博覧会美術館図
三代歌川広重
1881年(明治14年)
H35.3×71
—
東京名所上野
博覧会縦覧之図
歌川房種
1881年(明治14年)
35.8×73
—
第二回内国勧業博覧会
清水嘉兵衛
1881年(明治14年)
37×24.6
—
第二回内国勧業博覧会
案内図
國文社
1881年(明治14年)
28.4×42.1
—
第二回内国勧業博覧会
列品図録
佐々林信之助

第1列

1881年（明治14年）
23.5×16

第三回内国勧業博覧会

上野公園於開設第三回
内国勧業博覧会
三代歌川広重
1890年（明治23年）
37.9×73.3
－
第三回内国勧業博覧会
梅寿国利
1890年（明治23年）
35.9×70.7
－
上野公園地第三回内国
勧業博覧会行幸図
東州勝月
1890年（明治23年）
35.8×71.2
－
上野公園博覧会行幸之図
小林幾英
1890年（明治23年）
35.8×70
－
上野第三回内国勧業
博覧会御幸之図
楊州周延
1890年（明治23年）
35.3×71.4
－
第三回内国勧業博覧会
会場図（案内明細図）
岡田常三郎
1890年（明治23年）
34.9×49.6
－
パビリオンの建物の外観、
上野博覧会場及び
同公園内の名勝
1890年（明治23年）
38.8×26.2
－
第三回内国勧業博覧会案
内明細図
1890年（明治23年）
41.6×57.8
－
第三回内国勧業博覧会
之図
村瀬逸次郎
1890年（明治23年）
37.2×49.1
－
『風俗画報』
第15号（復刻版）
東陽堂
1890年（明治23年）(初版)
25.7×18.5
－
売残品処分の広告
勧業義済会
1890年（明治23年）
18×24.3
－
第三回内国勧業博覧会
銅メダル
1890年（明治23年）
直径6.7
－
巡覧の栞
松岡萬（編）／
小林安太郎（発行）
1890年（明治23年）
18.6×12.6
－
会場道志るべ

第2列

東京博覧社
1890年（明治23年）
18.1×12
－

第四回内国勧業博覧会

京都博覧会全景・東側面ヨ
リ大極殿ヲ望ムノ図
『風俗画報』
1895年（明治28年）
24.7×45.9
－
第四回内国勧業博覧会
平安神社大極殿之図
淺井末吉・京都絵画館
1895年（明治28年）
37.5×56.3
－
平安神宮大極殿
第四回内国勧業博覧会場略図
花岡正・松井由谷（画）
1895年（明治28年）
37.4×51.6
－
『風俗画報』の口絵
1895年（明治28年）
24.8×34.4
－
会場図、大極殿の図
1895年（明治28年）
25.4×18.7
－
『風俗画報』
臨時増刊第九十四號
京都大博覧会
東陽堂
1895年（明治28年）
25.3×18.5
－
第四回内国勧業博覧会
入場券
1895年（明治28年）
6.7×4.3
－
奠都祭博覧会 遊覧乃栞
瀧山瑄／大坂國文社
1895年（明治28年）
18.7×13
－
大博覧会・奠都記念祭
都案内記
浅野覚蔵
1895年（明治28年）
18.4×12.5
－
奠都祭博覧会 遊覧の栞
（復刻版）
創元社
1993年（平成5年）
1895年（明治28年）(初版)
21×14.8
－

第五回内国勧業博覧会

第五回内国勧業博覧会
明細図
東新太郎
1903年（明治36年）
39.8×55.4
－
第五回内国勧業博覧会
喫茶会員券・喫茶部会員
1903年（明治36年）
41.5×54.7
－
第五回内国勧業博覧会
眞景
1903年（明治36年）
37×50.9

第3列

－
明治三六年之大阪（明治
三十六年一月一日大阪毎日新
聞第六千九百〇六號附録）
大阪毎日新聞社
1903年（明治36年）
54.7×78.5
－
第五回内国勧業博覧会
紀念
余興動物園飼養動物
箱島房之助（解説）／
松本硯生（画）／
渡邉益夫（発行）
1903年（明治36年）
47×64
－
第五回内国勧業博覧会
紀念
余興動物園集容動物図
織田信徳（解説）、
織田明（画）／渡邉益夫（発行）
1903年（明治36年）
46.5×63
－
第五回内国勧業博覧会
会場図
三木直吉
1903年（明治36年）
39.4×55
－
全景図（会場図）
大阪毎日新聞付録
1903年（明治36年）
39.1×54.2
－
堺名所図（大浜公園）、
堺水族館
1903年（明治36年）
18.8×24.8
－
堺市名勝地図、
第五回内国勧業博覧会
水族館庭園修築施工図
1903年（明治36年）
25.8×38.1
－
第五回内国勧業博覧会附属
水族館案内堺市名所図
原田助太郎・岩本雪太・
飯田錦山
1903年（明治36年）
49.8×73.3
－
第五回内国勧業博覧会
案内記
考文社
1903年（明治36年）
18.8×13
－
第五回内国勧業博覧会
場内唱歌
鍾美堂本店
1903年（明治36年）
14.7×10.6
－
永遠・博覧会記念誌
1903年（明治36年）
18×12.5
－
第五回内国勧業博覧会
記念写真帖
三和印刷店
1903年（明治36年）
16.2×24.4
－
第五回博覧会記念写真帖
駸々堂
1903年（明治36年）

第4列

19×26.5
－
写真帖
PHOTGRAPHIC
REPRODUCTION OF
THE FIFTH NATIONAL
INDUSTORIAL
EXHIBITION OSAKA
1903
王鳴館
1903年（明治36年）
22×30.2
－
『風俗画報』
第五回内国勧業博覧会』
臨時増刊
東陽堂
1903年（明治36年）
25.7×18.8
－
『風俗画報』
第二百六十九號
東陽堂
1903年（明治36年）
26.2×18.7
－
荒陵山四天王寺拝観券
1903年（明治36年）
8.8×6.2
－
出品人入場券
1903年（明治36年）
10.1×6
－
出品人入場券
1903年（明治36年）
10.2×6
－
観覧券
1903年（明治36年）
7.6×5.1
－
世界一周館招待券
1903年（明治36年）
8.2×5.7
－
人類館優待券
1903年（明治36年）
9×6.1
－
各館割引券
（萬国名所割引券、千日前難波
戦記パノラマ割引券、娘曲馬割
引券、南地千日前第二井筒席
割引券、千日前三十三所生人
形割引券）
1903年（明治36年）
7.5×24
－
第五回内国勧業博覧会
絵葉書
1903年（明治36年）
6枚
9×14
－
第五回内国勧業博覧会
重要物産案内
株式会社国光社
1903年（明治36年）
22.3×15.1
－
不思議館の案内
1903年（明治36年）
18.7×13.0
－
山葉オルガン
日本楽器製造株式会社
1927年（昭和2年）
120×125×54.5

第5列

38.8×53.3
－

第2章
大衆社会に広がる博覧会

近代的ライフスタイルへの
あこがれ

東京大正博覧会

「東京大正博覧会乗物と
南洋土人の喰人種」
1914年（大正3年）
39.5×55
－
東京大正博覧会会場全景
1914年（大正3年）
18.9×52.2
－
東京大正博覧会 絵葉書
1914年（大正3年）
9.1×14.1
－
東京大正博覧会 絵葉書
語呂合せ
大正博覧会来京各団体、
正門
1914年（大正3年）
9×14
－
東京大正博覧会 絵葉書
語呂合せ
大正博覧会大衆白雲街、
工業館
1914年（大正3年）
9×14
－
東京大正博覧会 絵葉書
自動車、正門
1914年（大正3年）
9×14
－
東京大正博覧会 絵葉書
看手と守衛 美術館
1914年（大正3年）
9×14
－
東京大正博覧会 絵葉書
第1会場・美術館
1914年（大正3年）
9×14
－
東京大正博覧会 絵葉書
教育学藝館
1914年（大正3年）
9×14
－
東京大正博覧会 絵葉書
美術館
1914年（大正3年）
9×14
－
通信教育 東京大正博覧会
記念帖
株式会社警眼社
1914年（大正3年）
13.2×19.0
－

平和記念東京博覧会

平和記念東京博覧会
会場図
1922年（大正11年）
39.8×53.6
－
平和記念東京博覧会
会場図
1922年（大正11年）

第6列

38.8×53.3
－
歴史画報 WELCOME
英国皇太子殿下御来朝平
和記念東京博覧会
歴史画報社
1922年（大正11年）
21.7×30.5
－
平和記念東京博覧会
写真帖
尚美堂
1922年（大正11年）
18.8×26.3
－
教材集録臨時増刊
平和博覧会号
南光社
1922年（大正11年）
22×14.8
－
『歴史画報』
大正11年5月号
歴史画報社
1922年（大正11年）
21.9×30.3
－
平和記念東京博覧会
絵葉書
第1会場 萬国街及南洋館
1922年（大正11年）
9.2×14.1
－
平和記念東京博覧会
絵葉書
第2会場 朝鮮館
1922年（大正11年）
9.2×14.1
－
平和記念東京博覧会
絵葉書
第2会場 満蒙館
1922年（大正11年）
9.2×14.1
－
平和記念東京博覧会
絵葉書
第1会場 満蒙館・
朝鮮館夜景
1922年（大正11年）
9.2×14.1
－
平和記念東京博覧会
絵葉書
第2会場夜景、
サーチライト
1922年（大正11年）
9.2×14.1
－
平和記念東京博覧会
絵葉書
第2会場夜景
1922年（大正11年）
9.2×14.1
－

電気大博覧会

電気大博覧会
会場全景
澤田要蔵 印刷工廠
1926年（大正15年）
53.3×76.8
－
大大阪市街電鉄線路図・
三電力送電線路図・郊外
電鉄線路図
吉田初三郎
1926年（大正15年）
25.8×69.3

–
電気大博覧会会場図
1926年(大正15年)
53.5×77

電気大博覧会 絵葉書
第一会場全景
1926年(大正15年)
8.8×13.8

電気大博覧会 絵葉書
正門、中門、東門
1926年(大正15年)
9×14

電気大博覧会 絵葉書
外国館、殖民館、
家庭電化館、
保健衛生館
1926年(大正15年)
9×14

電気大博覧会 絵葉書
農事電化園、
蓬莱島一帯
1926年(大正15年)
9×14

電気大博覧会 絵葉書
水晶塔
1926年(大正15年)
9×14

電気大博覧会 絵葉書
外国館一帯、
第1演芸場とその内部
1926年(大正15年)
9×14

電気大博覧会 絵葉書
子供電車と大每運動
館の遠望、
猿蟹合戦の展示、
雀の宿の展示、
猛獣狩の展示
1926年(大正15年)
9×14

電気大博覧会 絵葉書
北門、歓楽境の一部
1926年(大正15年)
9×14

電気大博覧会 絵葉書
御巡覧中の閑院総裁
宮殿下、澄宮殿下
1926年(大正15年)
9×14

電気大博覧会 絵葉書
電気温泉、
機艇による入場の光景
1926年(大正15年)
9×14

電気大博覧会 絵葉書
本館前噴水
1926年(大正15年)
14×9

**大礼奉祝交通電気
博覧会**

大礼奉祝交通電気博覧
会
鳥瞰図
1928年(昭和3年)
38.5×53.5

大礼奉祝交通電気博
覧会
絵葉書
懸賞応募2等
入選ポスター図案
1928年(昭和3年)
13.3×9.1

大礼奉祝交通電気博覧
会 絵葉書
懸賞応募3等
入選ポスター図案
1928年(昭和3年)
13.3×9.1

大礼奉祝交通電気博
覧会 絵葉書
懸賞応募2等
入選ポスター図案
1928年(昭和3年)
13.3×9.1

大礼奉祝交通電気博
覧会 絵葉書
懸賞応募1等
入選ポスター図案
1928年(昭和3年)
13.3×9.1

大礼奉祝交通電気博
覧会 絵葉書
会場全景
1928年(昭和3年)
9×14

大礼奉祝交通電気博
覧会 絵葉書
茶臼山河底池と
水上飛行艇
1928年(昭和3年)
9×14

大礼奉祝交通電気博
覧会 絵葉書
第2会場正面
1928年(昭和3年)
9×14

**大礼記念京都
大博覧会**

大礼記念京都大博覧
会 絵葉書
1928年(昭和3年)
14×8.9

大礼記念京都大博覧会
絵葉書
「団体観覧の栞」
1928年(昭和3年)
17.6×7.9

大礼記念京都大博覧
会 メダル
1928年(昭和3年)
直径6.7

大礼記念京都大博覧
会 入場券
西会場・南会場・
動物園
1928年(昭和3年)
5.5×8.3

大礼記念京都大博覧
会 特別入場券
西会場・南会場・
動物園・東会場
1928年(昭和3年)

5.3×11

大礼記念交通電気博
覧会
絵葉書
京都観図
京都日日新聞
1928年(昭和3年)
54×78

大礼記念京都大博覧
会 鳥観図
1928年(昭和3年)
64×47

大礼記念京都大博覧
会 絵葉書
ポスターになった
デザイン
1928年(昭和3年)
14×9

大礼記念京都大博覧
会 絵葉書
西会場正門
1928年(昭和3年)
9×14

大礼記念京都大博覧
会 絵葉書
東会場 應天門より
東部の会場全景
1928年(昭和3年)
9×14

大礼記念京都大博覧
会 絵葉書
西会場 世界館(100年
後の世)と大楠公館
1928年(昭和3年)
9×14

大礼記念京都大博覧
会 絵葉書
第1本館正門
1928年(昭和3年)
9×14

大礼記念京都大博覧
会 絵葉書
東会場 台湾館」、
台湾喫茶店
1928年(昭和3年)

**皇孫御誕生記念
こども博覧会**

皇孫御誕生記念こども
博覧会 写真帳
東京日日新聞社
1926年(大正15年)
23×30.5

皇孫御誕生記念京都
こども博覧会誌
大阪毎日新聞社
1926年(大正15年)
22.3×15.5

皇孫御誕生記念こども
博覧会 絵葉書
1926年(大正15年)
9×14

皇孫御誕生記念こども
博覧会 絵葉書
照ウ記念館
1926年(大正15年)
9×14

皇孫御誕生記念こども
博覧会 絵葉書
本館の全景
1926年(大正15年)
9×14

皇孫御誕生記念こども
博覧会 絵葉書
こども汽車
1926年(大正15年)
9×14

皇孫御誕生記念こども
博覧会 絵葉書
正門前大ハノ塔
1926年(大正15年)
14×9

皇孫御誕生記念こども
博覧会 絵葉書
総門
1926年(大正15年)
9×14

万国婦人子供博覧会

万国婦人子供博覧会
絵葉書
獨逸ハーゲンベック
動物園・世界最大の
猛獣大サーカス団実景・
虎をのせた象が
あぶない道を
1933年(昭和8年)
9×14

万国婦人子供博覧会
絵葉書
獨逸ハーゲンベック
動物園・世界最大の
猛獣大サーカス団実景・
獅子が人間をのせて
曲藝をします
1933年(昭和8年)
14×9

万国婦人子供博覧会
絵葉書
教育館(竹の基会場)
1933年(昭和8年)
9×14

万国婦人子供博覧会
絵葉書
ハーゲンベック大サーカ
ス入口(芝会場)
1933年(昭和8年)
9×14

萬国コドモ博覧会
(幼年倶楽部第8巻第5号
5月号付録)
大日本雄社講談社
1933年(昭和8年)
25.8×18.7

国際産業観光博覧会

国際産業観光博覧会
ポスター
中山文孝
1934年(昭和9年)
89×62.5

国際産業観光博覧会
絵葉書
雲仙と博覧会場
1934年(昭和9年)
10.1×6.6

国際産業観光博覧会
絵葉書
1934年(昭和9年)
14×9

国際産業観光博覧会
絵葉書
中山文孝画
長崎港の図
1934年(昭和9年)
14×9

国際産業観光博覧会
絵葉書
正門より産業本館を
望む
1934年(昭和9年)
9×14

国際産業観光博覧会
絵葉書
長崎館
1934年(昭和9年)
9×14

国際産業観光博覧会
絵葉書
奈良館と歴史館、
ハリボテ大仏
1934年(昭和9年)
9×14

国際産業観光博覧会
パンフレット
1934年(昭和9年)
18.8×9.2

国際産業観光博覧会
入場券
1934年(昭和9年)
9.2×6

輝く日本大博覧会

ホームライフ臨時増刊
輝く日本大博覧会号
大阪毎日新聞社／
東京日日新聞社
1936年(昭和11年)
34×25

輝く日本大博覧会
パンフレット
1936年(昭和11年)
19.5×38

輝く日本大博覧会
ポスター
1936年(昭和11年)
39.5×53

輝く日本大博覧会
ポスター
1936年(昭和11年)
52.2×77.4

輝く日本大博覧会
記念帖
大阪毎日新聞社・
東京日日新聞社
1936年(昭和11年)
30.5×22.6

輝く日本大博覧会
記念乗車券
1937年(昭和12年)
4.9×9.4

輝く日本大博覧会
入場券
1936年(昭和11年)
5.5×10

輝く日本大博覧会
入場券
1936年(昭和11年)
7.4×5.2

輝く日本大博覧会
絵葉書
第1会場鳥瞰
1936年(昭和11年)
9.1×14

輝く日本大博覧会
絵葉書
1936年(昭和11年)
4枚
9.1×14

**名古屋汎太平洋平和
博覧会**

名古屋汎太平洋平和
博覧会案内図
1937年(昭和12年)
26×53

名古屋汎太平洋平和
博覧会画報
朝日新聞名古屋支社
1937年(昭和12年)
38×27

名古屋汎太平洋平和
博覧会パンフレット
1937年(昭和12年)
21.3×10.3

名古屋汎太平洋平和
博覧会パンフレット
1937年(昭和12年)
21.3×10.3

名古屋汎太平洋平和
博覧会図版(英語版)
1937年(昭和12年)
26×36.4

名古屋汎太平洋平和
博覧会チラシ(英語版)
1937年(昭和12年)
19×13

名古屋汎太平洋平和
博覧会チラシ(英語版)
1937年(昭和12年)
19×13

名古屋汎太平洋平和
博覧会チラシ
1937年(昭和12年)
19.2×13.9

名古屋汎太平洋平和
博覧会チラシ
1937年(昭和12年)
19.2×13.9

名古屋汎太平洋平和
博覧会
記念乗車券
1937年(昭和12年)
4.9×9.4

名古屋汎太平洋平和
博覧会
記念乗車券
1937年(昭和12年)
5.5×10

博覧会
記念乗車券
1937年(昭和12年)
5.5×10

名古屋汎太平洋平和
博覧会
記念乗車券
1937年(昭和12年)
10×5.5

名古屋汎太平洋平和
博覧会 絵葉書
1937年(昭和12年)
2枚
14×9

名古屋汎太平洋平和
博覧会
銀メダル
1937年(昭和12年)
直径6.6

名古屋汎太平洋平和
博覧会 スタンプ帖
1937年(昭和12年)
3冊
13.8×9

- - - - - - - - - - - - -

帝国の拡大と博覧会

- - - - - - - - - - - - -

明治記念拓殖博覧会

拓殖博覧会チラシ
1912年(大正元年)
41.4×28.3

明治記念拓殖博覧会
絵葉書
「各植民地人種集合の
光景」
1913年(大正2年)
14.0×9.1

明治記念拓殖博覧会
絵葉書
「樺太アイヌ種族乃
住宅」
1913年(大正2年)
14.0×9.1

明治記念拓殖博覧会
絵葉書
「樺太ギリヤークオロチョ
ン種族住宅」
1913年(大正2年)
14.0×9.1

明治記念拓殖博覧会
絵葉書
「台湾生蕃人及ビ其
住宅」
1913年(大正2年)
14.0×9.1

**始政二十年記念
朝鮮博覧会**

朝鮮博覧会鳥瞰図
1929年(昭和4年)
38.7×53.7

始政二十年記念朝鮮
博覧会全景図
1929年(昭和4年)
26.5×38

始政二十年記念朝鮮
博覧会記念写真帳
朝鮮総督府
1929年(昭和4年)
28.5×37.8
—
始政二十年記念朝鮮
博覧会 絵葉書
会場全景
1929年(昭和4年)
9×14
—
始政二十年記念朝鮮
博覧会 絵葉書
式殿(勤政殿)
1929年(昭和4年)
9×14
—
始政二十年記念朝鮮
博覧会 絵葉書
子供の国入口と
活動写真館
1929年(昭和4年)
9×14
—
始政二十年記念朝鮮
博覧会 絵葉書
産業南館及米ノ館
1929年(昭和4年)
9×14

満州大博覧会
—
大連市催
満州大博覧会誌
1933年(昭和8年)
22.2×15.7
—
満州大博覧会 絵葉書
第3号本館並に音楽堂
1933年(昭和8年)
9×14
—
満州大博覧会 絵葉書
芙蓉館通りより
関東庁館ヲ望ム、
台湾館・神奈川館
1933年(昭和8年)
9×14
—
満州大博覧会 絵葉書
1933年(昭和8年)
9×14
—
満州大博覧会 絵葉書
1933年(昭和8年)
9×14
—
満洲風物写真帖
1933年(昭和8)
13×19
—
満洲大博会案内
1933年(昭和8年)
18.5×12.7

始政四十周年記念
台湾博覧会
—
始政四十周年記念
博覧会御写真 第4集
山下写真館
1935年(昭和10年)
12×16.4
—
始政四十周年記念
台湾博覧会 絵葉書
1935年(昭和10年)
14.2×9

—
始政四十周年記念
台湾博覧会パンフレット
「秋は台湾博覧会」
1935年(昭和10年)
18.8×8.8
—
始政四十周年記念
台湾博覧会協賛誌
始政四十周年記念
台湾博覧会協賛会
1939年(昭和14年)
26.6×19.5

支那事変聖戦博覧会
—
支那事変聖戦博覧会
画報
朝日新聞社
1938年(昭和13年)
38×27
—
支那事変聖戦博覧会
画報第2集
朝日新聞社
1938年(昭和13年)
38×27
—
支那事変聖戦博覧会
絵葉書
軍艦「出雲」(模型)より
戦局パノラマを見物する
イタリア水兵
1938年(昭和13年)
9×14
—
支那事変聖戦博覧会
絵葉書
子供の体育場
(ミニ戦車,子供パラシュート、
飛行塔)
1938年(昭和13年)
14×9
—
支那事変聖戦博覧会
絵葉書
防共道路
1938年(昭和13年)
14×9
—
支那事変聖戦博覧会
パンフレット
1938年(昭和13年)
26.5×19.5

国防科学大博覧会
—
国防科学大博覧会
パンフレット
1941年(昭和16年)
25.5×18
—
国防科学大博覧会
パンフレット
1941年(昭和16年)
21.3×10
—
国防科学大博覧会
パンフレット
1941年(昭和16年)
14×9
—
『国防科学大博覧会』
1941年(昭和16年)
21.5×16.5

紀元二千六百年記念
日本万国博覧会

紀元二千六百年記念
日本万国博覧会
入場券
1940年(昭和15年)
5.4×12.8
—
紀元二千六百年記念
日本万国博覧会
抽籤券附 回数入場券
1940年(昭和15年)
18.5×9.6
—
紀元二千六百年記念
日本万国博覧会
絵葉書
1940年(昭和15年)
4枚
14.2×9.1
—
紀元二千六百年記念
日本万国博覧会
海外向けパンフレット
2600 JAPAN
INTERNATIONAL
EXPOSITION
1940年(昭和15年)
21.7×29.7
—
抽選券附回数入場券
売出しチラシ
1940年(昭和15年)
19.2×25.6
—
『萬博』会報
第1号−19号
日本萬國博覧会協会
1936年(昭和11年)−
1941年(昭和16年)
19冊
19.0×26.0
—
紀元二千六百年記念
日本萬国博覧会概要
紀元二千六百年記念
日本萬国博覧会
事務局
1938年(昭和13年)
25.9×18.8

—————————
第3章
戦後の博覧会
—————————

大阪万博
—————————

日本万国博覧会
—
日本万国博覧会
ポスター
大高猛
1970年(昭和45年)
75.3×48.5
—
日本万国博覧会
ポスター
福田繁雄
1967年(昭和42年)
52.0×72.5
—
日本万国博覧会
ポスター(海外向け)
亀倉雄策
1967年(昭和42年)
72.7×103.2
—
日本万国博覧会
ポスター

細谷巌
1969年(昭和44年)
73.0×103.0
—
日本万国博覧会
ポスター(海外向け)
亀倉雄策
1969年(昭和44年)
73.0×103.0
—
日本万国博覧会
ポスター
石岡瑛子
1970年(昭和45年)
51.5×72.7
—
EXPOSITION
UNIVERSELLE DU
JAPON OSAKA
1970 RAPPORT
OFFICIEL No.1
(仏語版)
1972年(昭和47年)
30.1×21.3
—
EXPOSITION
UNIVERSELLE DU
JAPON OSAKA
1971 RAPPORT
OFFICIEL No.2
(仏語版)
1972年(昭和47年)
30.1×21.3
—
EXPOSITION
UNIVERSELLE DU
JAPON OSAKA
1972 RAPPORT
OFFICIEL No.3
(仏語版)
1972年(昭和47年)
30.1×21.3
—
日本万国博覧会公式
記録1(日本語版)
1972年(昭和47年)
30.1×21.3
—
日本万国博覧会公式
記録2(日本語版)
1972年(昭和47年)
30.1×21.3
—
日本万国博覧会公式
記録3(日本語版)
1972年(昭和47年)
30.1×21.3
—
万国博グラフ VOL.2
NO.3
1969年(昭和44年)
29.6×21.1
—
万国博グラフ VOL.2
NO.2
1968年(昭和43年)
29.6×21.1
—
万国博グラフ VOL.3
NO.1
1968年(昭和43年)
29.6×21.1
—
万国博グラフ VOL.2
NO.7
1969年(昭和44年)
29.6×21.1
—
万国博グラフ VOL.2

NO.9
1969年(昭和44年)
29.6×21.1
—
万国博グラフ VOL.2
NO.10
1969年(昭和44年)
29.6×21.1
—
万国博グラフ VOL.2
NO.11
1969年(昭和44年)
29.6×21.1
—
日本万国博テーマソング
「世界の国からこんにち
は」歌詞
1970年(昭和45年)
18.8×26.5
—
日本万国博テーマソング
「世界の国からこんにち
は」レコード(三波春夫)
1970年(昭和45年)
31.5×31.5
—
日本万国博覧会
会場図
1970年(昭和45年)
73×103
—
日本万国博覧会
会場図
1970年(昭和45年)
41.8×29.6
—
エリアマップ
EXPO'70日本万国博
覧会会場図
1970年(昭和45年)
21.5×10.5
—
EXPO'70ミニマップ
1970年(昭和45年)
25.7×9.2
—
EXPO'70ミニマップ
1970年(昭和45年)
25.7×9.2
—
EXPO'70ミニマップ
1970年(昭和45年)
17×10.5
(51×72)
—
「図集 EXPO70」
平面図・設計図集
大阪府建築士会
1969年(昭和44年)
30.2×42.6
—
太陽の塔 図面集
29.2×20.8
—
太陽の塔とともに
日本万国博覧会
テーマ館の記録
1971年(昭和46年)
25.5×25.1
—
「太陽の塔」置物
カラーTV「高雄」の景品
1970年(昭和45年)
32×31
—
「太陽の塔」置物
1970年(昭和45年)
15×13.5

太陽の塔の顔
1970年(昭和45年)
21.5×15
—
テーマ館スタッフ参加
記念盾
1970年(昭和45年)
21×17
—
筆箱 EXPO'70
ロゴ入り
1970年(昭和45年)
21.8×6.8
—
腕時計 EXPO'70
ロゴデザイン
1970年(昭和45年)
2点
23×4.2
—
金杯 EXPO'70
ロゴデザイン
1970年(昭和45年)
直径8.5
—
盾(「人類の進歩と調和」
日本万国博覧会
お祭り広場 F.P.J.V 美術)
1970年(昭和45年)
20.2×26
—
盾(タイムカプセル)
1970年(昭和45年)
30.5×24.4
—
クリスタル盾
(タイムカプセル)
1970年(昭和45年)
10×7
—
盾「催物出演記念」
1970年(昭和45年)
24.9×18.8
—
盾(会場図)
1970年(昭和45年)
11.5×11.4
—
サントリーウイスキー
ボトルカプセル
(万博デザイン)
1970年(昭和45年)
12.8×10
—
タイムスリップグリコ
コレクションボックス
大阪万博編
2005年(平成17年)
30.3×39
—
日本万国博覧会
入場券
1970年(昭和45年)
35.0×7.0
—
日本万国博覧会 宝くじ
1970年(昭和45年)
21.0×15.0
—
日本万国博覧会 宝くじ
1970年(昭和45年)
18.2×12.8
—
日本万国博覧会 宝くじ
1970年(昭和45年)
18.2×12.8

15×21
—
日本万国博覧会 宝くじ
1970年(昭和45年)
15×21
—
日本万国博覧会 宝くじ
1970年(昭和45年)
12.7×18.2
—
日本万国博覧会 宝くじ
1970年(昭和45年)
13.5×20
—
日本万国博覧会 宝くじ
1970年(昭和45年)
12.7×18.2
—
日本万国博覧会 宝くじ
1970年(昭和45年)
12.7×18.2
—
日本万国博覧会 宝くじ
1970年(昭和45年)
15×21
—
お祭り広場催事台本
特別番組皆んなで踊ろ
うお祭り広場盆踊り
1970年(昭和45年)
24.6×17.5
—
お祭り広場催事台本
象まつり
1970年(昭和45年)
24.6×17.5
—
お祭り広場催事台本
日本のまつりV
1970年(昭和45年)
24.4×17.5
—
お祭り広場催事台本
日本のまつりVI
1970年(昭和45年)
24.4×17.5
—
お祭り広場催事台本
日本のまつりII
1970年(昭和45年)
24.4×17.5
—
お祭り広場催事台本
日本のまつりI
1970年(昭和45年)
24.4×17.5
—
お祭り広場催事台本
日本のまつりIII
1970年(昭和45年)
24.4×17.5
—
お祭り広場催事台本
日本万国博覧会開会
式次第
1970年(昭和45年)
25.6×18.3
—
お祭り広場催事台本
「さよなら万国博」
1970年(昭和45年)
24.3×17.5
—
日本万国博覧会開会
式典次第台本

<table>
<tr><td>

1970年(昭和45年)
25.6×18.3
－
「身体障碍者用たのしい会場案内」点字用
日本万国博覧会協会
1970年(昭和46年)
30.7×21.7
－
開会式関係者用
ワッペン
1970年(昭和45年)
11×7.8
－
日本万国博覧会
記念品 ペナント
1970年(昭和45年)
4点
19.6×57.3
－
日本万国博覧会
金・銀・銅
記念メダルセット
1970年(昭和45年)
18.4×9.4
－
日本万国博覧会
PAVILION 記念メダル
1970年(昭和45年)
18.4×9.4
－
文鎮「日本万国博覧会
記念協会 造幣局製」
1970年(昭和45年)
直径6.5
－
日本万国博覧会
ピクトグラムサイン
福田繁夫
1970年(昭和45年)
12点
20×20
－
日本万国博覧会
ピクトグラムサイン
福田繁夫
1970年(昭和45年)
12点
20×20
－
日本万国博覧会
ピクトグラムサイン
福田繁夫
1970年(昭和45年)
10点
20×20
－
外国館パンフレット
イギリス館
1970年(昭和45年)
23.5×20.9
－
外国館パンフレット
フランス館
1970年(昭和45年)
24.7×7.8
－
外国館パンフレット
ドイツ館
1970年(昭和45年)
23×13.8
－
外国館パンフレット
ブルガリア館
1970年(昭和45年)
20×11
－
外国館パンフレット
ヨーロッパ共同体

</td><td>

1970年(昭和45年)
13.8×9.8
－
外国館パンフレット
ヨーロッパ共同体
1970年(昭和45年)
29.6×10.1
－
外国館パンフレット
ソ連館
1970年(昭和45年)
23×9.9
－
外国館パンフレット
アメリカ館
1970年(昭和45年)
26.6×21
－
外国館パンフレット
カナダ館
1970年(昭和45年)
18.1×21.5
－
外国館パンフレット
インドネシア館
1970年(昭和45年)
20×20
－
外国館パンフレット
中華民国館
1970年(昭和45年)
22.7×9
－
外国館パンフレット
日本館
1970年(昭和45年)
20.7×18
－
企業パビリオン
パンフレット
せんい館
1970年(昭和45年)
27.7×10.7
－
企業パビリオン
パンフレット
住友童話館
1970年(昭和45年)
11×22
－
企業パビリオン
パンフレット
三菱未来館
1970年(昭和45年)
19.6×10.6
－
企業パビリオン
パンフレット
みどり館
1970年(昭和45年)
25.2×11.8
－
企業パビリオン
パンフレット
松下館
1970年(昭和45年)
27.8×27.9
－
企業パビリオン
パンフレット
富士グループパビリオン
1970年(昭和45年)
27.6×29.9
－
企業パビリオン
パンフレット
東芝IHI館
1970年(昭和45年)
21.6×9

</td><td>

－
企業パビリオン
パンフレット
ガスパビリオン
1970年(昭和45年)
25.7×12.2
－
企業パビリオン
パンフレット
古河パビリオン
1970年(昭和45年)
18×12.8
－
企業パビリオン
パンフレット
電力館
1970年(昭和45年)
26×10
－
政府館パビリオン
絵葉書
日本館
1970年(昭和45年)
10.5×14.4
－
政府館パビリオン
絵葉書
スイス館
1970年(昭和45年)
14.9×21.6
－
政府館パビリオン
絵葉書
アメリカ館
1970年(昭和45年)
10.3×15
－
政府館パビリオン
絵葉書
ソ連館
1970年(昭和45年)
10.3×15
－
政府館パビリオン
絵葉書
フランス館
1970年(昭和45年)
10.3×15
－
政府館パビリオン
絵葉書
タイ館
1970年(昭和45年)
14.7×10.4
－
企業パビリオン 絵葉書
みどり館
1970年(昭和45年)
10.6×14.6
－
企業パビリオン 絵葉書
松下館
1970年(昭和45年)
10.3×15
－
企業パビリオン 絵葉書
東芝IHI館
1970年(昭和45年)
10.3×15
－
企業パビリオン 絵葉書
ガスパビリオン
1970年(昭和45年)
10.4×14.6
－
企業パビリオン 絵葉書
三菱未来館
1970年(昭和45年)
10.6×14.8

</td><td>

企業パビリオン 絵葉書
住友童話館
1970年(昭和45年)
10.3×14.4
－
開会式式典玉音入り
ソノシート
制作：毎日放送
(社)全国ビルメンテナンス協会日本万国博実施本部
1970年(昭和45年)
17.8×21.9
－
色紙の紙吹雪
1970年(昭和45年)
－
ピンバッジ
日本
1970年(昭和45年)
4.5×1.8
－
ピンバッジ
イギリス
1970年(昭和45年)
4.8×6.8
－
ピンバッジ
ブルガリア
1970年(昭和45年)
2×2
－
ピンバッジ
ソ連
1970年(昭和45年)
直径2.2
－
ピンバッジ
アメリカ
1970年(昭和45年)
4.5×1.8
－
ピンバッジ
カナダ
1970年(昭和45年)
1.5×1.5
－
ピンバッジ
電力館
1970年(昭和45年)
直径1.3
－
ピンバッジ
松下館
1970年(昭和45年)
直径2.2
－
ピンバッジ
みどり館
1970年(昭和45年)
1.7×1.5

</td></tr>
</table>

あとがき

博覧会については、これまで様々な専門領域から研究されてきた。歴史学、美術史、工芸史、建築史、デザイン、社会学とその領域は多岐にわたる。また博覧会への関心は学術的な専門研究の範囲にとどまらず、博覧会の企画やプロデュースに関わる人々によって実践的な立場からも研究が行われてきた。さらに視点をもっと身近なところに移せば、いわゆる「博覧会マニア」と呼ばれる博覧会の熱狂的ファンもいる。これほど様々な立場から人々の興味関心を掻き立てる博覧会とは一体何なのか。

――

一方で、1900年のパリ万博の付属イベントとして開催され定着していったオリンピックが現代では多くの人々の関心を惹きつけているのとは対照的に、博覧会に対する現代人の関心はかなり低いと言わざるを得ない。オリンピックと博覧会がセットで開催された歴史は長かったが、どこかの段階で博覧会はオリンピックにその座を奪われてしまったのである。

――

とはいえ、博覧会は今日まで続いており、これからも開催されることになっている。前述したように様々な人々が様々な立場から関心を寄せているのも事実である。それは博覧会が持っている多様性に起因しているのではないかと思う。多様な要素を含んだ博覧会がきっかけとなって発展し確立していったものは数えきれないほどある。博物館、百貨店、遊園地、水族館、建築、都市計画、鉄道インフラ、展示技術、映像技術などなど、現代の私たちを取り巻く生活の原点が博覧会にあったといっても過言ではない。博覧会は様々な技術革新を実現してきた実験場であり、新しい商品の見本市であり、建築やデザインを競う場であった。

――

一方で国家イベントとして行われた博覧会は政治の影響も強く受けた。明治・大正・昭和を通じて、その時々の世相が博覧会に色濃く反映されている。19世紀にはじまった博覧会の歴史を振り返ることは、日本が明治以降辿ってきた近現代の歴史と向き合うことでもある。

――

これまで博覧会について扱った展覧会では、特定の時代やテーマに焦点を絞って紹介するものがほとんどであったが、本展覧会では特定のテーマを設けず、19世紀から1970年大阪万博までの博覧会の歴史を通史的に扱っている。その意味では博覧会の歴史に関する入門的、概説的性格の域を出ないが、博覧会の歴史を俯瞰することにより見えてくるものがあるのではないかと思っている。

本展覧会は様々な条件が重なったことにより開催することができた。まずは博覧会も含めたディスプレイ業に長年携わってきた企業である乃村工藝社に約2万点に及ぶ博覧会資料のコレクションがあるということ。それらのコレクションは2005年にデータベース化され、「博覧会資料COLLECTION」として一般に公開されている。さらに本展覧会の監修者でもある橋爪紳也氏の監修により『別冊太陽 日本の博覧会 ―寺下勍コレクション―』が2005年に出版され、これらのコレクションが紹介された。そのようなベースがあって初めて実現した展覧会といえる。これまでネットや雑誌を通じていわば「ヴァーチャル」な形で公開されることはあったが、それらの実物をこれだけの規模で紹介するのはこの展覧会が初めての機会となる。

――

現在開催を予定している大阪くらしの今昔館、新潟県立歴史博物館、長崎歴史文化博物館では、それぞれの地域性も加味した内容で構成されることになっている。各会場に足を運んでいただくと、それぞれ違った楽しみ方ができるのではないかと考えている。

――

最後に、本企画の実現に向けて、多くの方々から貴重な情報や示唆をいただいた。橋爪紳也氏をはじめ、佐野真由子氏が主宰されている「万博学」研究会の皆様、コラムへの執筆に快く応じてくださった執筆者の皆様、資料の調査に協力してくださった多くの皆様にこの場を借りて感謝の意を表したい。そして近現代の歴史を語る貴重な博覧会資料を収集し寄贈してくださった故寺下勍氏とそれらの膨大な資料を長年にわたり管理してきた同僚の石川敦子の地道な努力と支援なくしては展覧会も本書も実現しなかったことを付しておく。

――

新型コロナウイルスの感染拡大が収まらないなか、いろいろなことを模索する日々が続いている。まさに今、私たちは人類の歴史のターニングポイントに立たされている。「近代」を象徴する博覧会を通して私たち人類が追い求めてきたものとは何だったのか改めて考えるいい機会かもしれない。そして博覧会の歴史の新たなページが塗り替えられることを願っている。

2021年1月
竹内有理

展覧会

博覧会の世紀1851-1970
A CENTURY OF
WORLD EXPOSITIONS
1851-1970

［監修］

橋爪紳也

［助成］

公益財団法人関西・大阪21世紀協会

［開催］

大阪市立住まいのミュージアム〈大阪くらしの今昔館〉

会期：2021年2月20日［土］−4月4日［日］

主催：大阪くらしの今昔館

特別協力：長崎歴史文化博物館／

株式会社乃村工藝社

新潟県立歴史博物館

会期：2021年4月24日［土］−6月6日［日］

主催：新潟県立歴史博物館

特別協力：長崎歴史文化博物館／

株式会社乃村工藝社

長崎歴史文化博物館

会期：2021年10月2日［土］−11月28日［日］

主催：長崎歴史文化博物館

特別協力：株式会社乃村工藝社

橋爪紳也 | はしづめしんや

1960年大阪市生まれ。大阪府立大学研究推進機構特別教授、観光産業戦略研究所所長。
京都大学工学部建築学科卒、同大学院修士課程、大阪大学大学院博士課程修了。建築史・都市文化論専攻。工学博士。
日本観光研究学会賞、日本建築学会賞、日本都市計画学会石川賞など受賞
『日本の遊園地』(講談社、2000年)、『人生は博覧会』(晶文社、2001年)、『モダン都市の誕生』(吉川弘文館、2003年)、
『飛行機と想像力』(青土社、2004年)、『にっぽん電化史』(日本電気協会新聞部、2005年)、『EXPO'70パビリオン』(平凡社、2010年)、
『瀬戸内海モダニズム周遊』(芸術新聞社、2014年)、『大京都モダニズム観光』(芸術新聞社、2015年)、
『大大阪モダニズム遊覧』(芸術新聞社、2018年)、『大大阪モダン建築』(青幻舎、2019年)、
『大阪万博の戦後史』(創元社、2020年)ほか著書多数。

本書は、展覧会「博覧会の世紀1851–1970」の関連書籍として刊行されました。
———

博覧会の世紀1851–1970
A CENTURY OF WORLD EXPOSITIONS 1851–1970

———

[著・監修]
橋爪紳也
———
[編集]
乃村工藝社
———
[執筆]
橋爪紳也
竹内有理
(乃村工藝社・長崎歴史文化博物館学芸員(〜2019年度))
石川敦子(乃村工藝社)
谷 直樹(大阪市立大学名誉教授)
山本哲也(新潟県立歴史博物館学芸員)
嶋村元宏(神奈川県立歴史博物館主任学芸員)
増山一成(中央区総括文化財調査指導員)
———
[企画・構成]
橋爪紳也
竹内有理
———
[編集]
古屋 歴
———
[装丁+フォーマットデザイン]
刈谷悠三+角田奈央+平川響子(neucitora)
———
[翻訳]
Valentina Odino(長崎歴史文化博物館)

[画像提供]
愛知県立図書館
尼崎市立歴史博物館
内川隆志
大阪市立住まいのミュージアム
大阪府
神奈川県立歴史博物館
川島織物文化館
久米美術館
慶應義塾大学メディアセンター
株式会社香蘭社
株式会社世界文化ホールディングス
中山文夫
長崎歴史文化博物館
株式会社乃村工藝社
松戸市戸定歴史館
早稲田大学演劇博物館
———
[発行日]
2021年2月20日 初版発行
———
[発行者]
安田英樹
———
[発行所]
株式会社青幻舎
〒604-8136 京都市中京区梅忠町9-1
Tel 075-252-6766
Fax 075-252-6770
www.seigensha.com
———
[印刷・製本]
株式会社シナノ印刷
———
本書の無断転写・転載・複製を禁じます。
Printed in Japan
ISBN 978-4-86152-828-6 C0060

© Shinya Hashizume 2021
© NOMURA Co.,Ltd. 2021
© Seigensha Art Publishing, Inc. 2021